**Tout sur mon**
*iPhone 5*
POUR
LES NULS

# Yasmina Salmandjee - Lecomte, Sébastien Lecomte

FIRST
> Interactive

## Tout sur mon iPhone 5 pour les Nuls

© Éditions First-Gründ, Paris, 2012.
Publié en accord avec Wiley Publishing, Inc.
« Pour les Nuls » est une marque déposée de Wiley Publishing, Inc.
« For Dummies » est une marque déposée de Wiley Publishing, Inc.

Éditions First-Gründ
60, rue Mazarine
75006 Paris - France
Tél. 01 45 49 60 00
Fax 01 45 49 60 01
Courriel : firstinfo@efirst.com
Internet : www.editionsfirst.fr

ISBN : 978-2-7540-4414-1
Dépôt légal : décembre 2012
Mise en page : Catherine Kédémos
Imprimé en France par IME, 3 rue de l'Industrie, 25112 Baume-Les-Dames

# Sommaire

## Chapitre 2 : Premier démarrage, personnalisation et sauvegarde de l'iPhone ............................................................................................. 47

## Chapitre 6 : Échanger des messages ........................................................ 123

## Chapitre 7 : L'iPhone et les réseaux sociaux ............................................. 131

## Chapitre 8 : Photo et vidéo avec l'iPhone ....................................... 149

## Chapitre 9 : Musique ....................................................................... 173

## Chapitre 13 : S'organiser et s'informer avec l'iPhone ............................... 233

# Présentation

Bienvenue dans *Tout sur mon iPhone 5 pour les Nuls* ! Grâce à cet ouvrage, vous saurez tout sur votre nouveau smartphone.

## Tout savoir pour devenir un pro de l'iPhone 5

Que vous soyez débutant ou déjà un utilisateur expérimenté, l'objectif de cet ouvrage est de répondre à toutes les questions que vous vous posez sur votre iPhone 5.

Bien démarrer, connaître sur le bout des doigts les manipulations quotidiennes ou plus avancées, personnaliser et protéger votre iPhone 5, maîtriser les applications : autant de sujets qui seront abordés dans le détail.

## Des questions sur tout et... toutes les réponses

Cet ouvrage est un « Nul » qui a réponse à tout ! Présenté sous la forme de tâches ou de questions/réponses, il vous apportera précisément les informations dont vous avez besoin, quand vous en avez besoin.

Que faire suite au démarrage de l'iPhone ? Comment résoudre un blocage ? Comment bien utiliser les outils et bien paramétrer les réglages ? Voici quelques exemples des questions auxquelles se propose de répondre *Tout sur mon iPhone 5 pour les Nuls*.

## Des étapes simples et illustrées

Pour chaque thème abordé, chaque problème solutionné, *Tout sur mon iPhone 5 pour les Nuls* offre une réponse ou procédure claire, précise et sans détour.

Grâce aux écrans illustrant chaque manipulation, aucune chance de vous perdre ou de vous tromper : pas à pas, vous êtes guidés dans la mise en œuvre des solutions proposées, en toute simplicité et en toute sécurité.

## Organisation de l'ouvrage

Cet ouvrage est structuré sous la forme de listes de procédures faciles à mettre en œuvre pour réaliser une tâche, effectuer un réglage ou solutionner un problème. Ces procédures sont elles-mêmes organisées en chapitres.

Le *premier chapitre* synthétise un ensemble de manipulations à savoir absolument, que vous soyez un novice ou un utilisateur expérimenté de l'iPhone.

Dans le *deuxième chapitre*, vous apprendrez à personnaliser et protéger l'iPhone, mais aussi à l'initialiser suite au premier démarrage.

Le *chapitre 3* est consacré à la téléphonie, le *chapitre 4* à l'exploration du Web et les *chapitres 5* et *6* respectivement aux e-mails et messages type SMS/MMS. Au *chapitre 7*, vous découvrirez comment l'iPhone permet d'accéder aux réseaux sociaux, en particulier Twitter et Facebook.

Ensuite, place au multimédia. Le *chapitre 8* est consacré à la photographie avec l'iPhone. Les *chapitres 9* et *10* font respectivement la part belle à la musique et à la vidéo. Le *chapitre 11* est entièrement dédié à la lecture sur l'iPhone.

Dans les *chapitres 12* et *13*, vous explorerez tous les outils pratiques de l'iPhone, en particulier pour se repérer et s'orienter, ainsi que tous les petits utilitaires indispensables de votre smartphone.

Pour compléter ces outils, vous verrez au *chapitre 14* comment obtenir de nouvelles applications et les gérer sur votre iPhone.

Le *chapitre 15* couvre une série de réglages fondamentaux, qui feront définitivement de vous un pro de l'iPhone 5.

Pour terminer, un chapitre « bonus » propose une sélection d'applications à découvrir de toute urgence.

*Les auteurs et les Éditions First vous souhaitent une bonne lecture !*

# L'iPhone 5 d'un coup d'œil

**1** Bouton de démarrage

**2** Objectif de l'appareil photo frontal

**3** Détecteur de proximité

**4** Haut-parleur (téléphone)

**5** Bouton Accueil

**6** Objectif arrière de l'appareil photo

**7** Flash intégré

**8** Commutateur « silencieux »

**9** Bouton de volume

**10** Prise « jack » pour brancher un casque audio ou des petites enceintes

**11** Microphone intégré

**12** Prise « Lightning » permettant de brancher l'iPhone sur un dock ou au câble de chargement

**13** Haut-parleurs

# Gestes à connaître

**Toucher ▸** Toucher la surface de l'écran du bout du doigt pour lancer une application, sélectionner une option, enfoncer un bouton ou une touche du clavier.

**Pincer** ou **Écarter ▸** À l'aide du pouce et de l'index simultanément, toucher l'écran et écarter les doigts. La partie d'écran située entre les deux doigts s'agrandit. À l'inverse, rapprocher les doigts sans relâcher pour effectuer un zoom arrière.

**Faire glisser** ou **Défiler ▸** Toucher l'écran avec un doigt et faire glisser dans une direction donnée, pour se déplacer dans un écran ou parcourir les pages d'un livre.

**Feuilleter ▸** Faire glisser le doigt d'un geste rapide dans la direction souhaitée, et lâcher l'écran en fin de course pour défiler plus rapidement. Attendre que le défilement s'arrête ou toucher n'importe quel endroit de l'écran pour l'arrêter immédiatement.

**Passer de l'orientation portrait à l'orientation paysage ▸** Faire pivoter l'iPhone d'un quart de tour. Le contenu s'adapte à la taille de l'écran.

# Chapitre 1

# À savoir absolument

**D**ans ce chapitre, vous découvrirez tout ce que tout utilisateur, nouveau ou confirmé, doit savoir sur son iPhone : les manipulations quotidiennes, les applications de base, ainsi que les réglages et contrôles fondamentaux de votre appareil. Vous verrez comment contrôler l'iPhone du bout des doigts ou avec la voix, effectuer une recherche dans son contenu, mais aussi interagir avec lui : du système de notifications à la saisie de texte grâce au clavier.

# *Allumer et déverrouiller l'iPhone*

**❶** Appuyez longuement sur le bouton de démarrage. Maintenez le bouton enfoncé jusqu'à ce que le logo Apple apparaisse.

**❷** Pour déverrouiller l'iPhone, faites simplement glisser à l'aide du doigt le curseur en bas d'écran de gauche à droite, au-dessus du mot **Déverrouiller**.

**❸** Vous devez ensuite saisir votre code PIN. Touchez **Déverrouiller** dans la fenêtre cadre **Carte SIM verrouillée**.

**❹** Saisissez votre code PIN en appuyant sur les chiffres du clavier. Touchez successivement les chiffres composant votre code PIN. À chaque appui sur un chiffre, un cercle noir apparaît dans la zone de saisie du code PIN.

**❺** N'hésitez pas à utiliser la touche de retour arrière pour effacer un chiffre incorrect.

**❻** Touchez **OK**.

❼ Lorsque l'iPhone est déverrouillé, vous pouvez voir l'écran d'accueil et ses icônes.

 Après le démarrage, un message vous indique que l'iPhone est verrouillé. Cela signifie simplement que l'écran est bloqué : au bout de deux minutes d'inactivité, par défaut, l'écran tactile de votre iPhone se met en veille automatiquement. Il s'assombrit et ne répond plus au toucher

# Verrouiller manuellement l'iPhone

Vous pouvez verrouiller manuellement votre iPhone à tout moment, c'est-à-dire l'obliger à passer en veille, dès que vous le souhaitez.

❶ Appuyez une fois sur le bouton de verrouillage (qui est aussi le bouton de démarrage) situé sur le dessus de l'iPhone.

❷ L'iPhone devient alors inactif, jusqu'à ce que vous le déverrouilliez à nouveau :

appuyez sur le bouton **Accueil** ou sur le bouton de démarrage, puis faites glisser le curseur **Déverrouiller**.

 Par défaut, l'iPhone passe en veille automatiquement au bout d'une minute. Pour modifier cette durée, touchez **Réglages ▶ Général ▶ Verrouillage auto**. Choisissez une durée de 1 à 5 minutes ou l'option **jamais**, afin que l'iPhone ne se verrouille jamais automatiquement.

# À quoi sert le bouton Accueil ?

Observez à présent l'iPhone de face. Premier constat : il n'y a qu'un seul et unique bouton ! C'est le bouton principal ou bouton **Accueil**.

Voici ses fonctions :

* Réactiver l'iPhone passé en mode veille. Il vous faudra alors déverrouiller l'écran en faisant glisser votre doigt sur **Déverrouiller**.

* Revenir à l'écran d'accueil, à tout moment (y compris lorsqu'un programme est bloqué en cours d'utilisation).

* Accéder à une autre application grâce au multitâche. Appuyez rapidement deux fois sur le bouton **Accueil** : les applications récemment utilisées s'affichent.

* Accéder aux commandes spéciales. Appuyez rapidement deux fois de suite sur le bouton **Accueil** puis faites glisser votre doigt vers la droite dans la zone en bas d'écran. Les commandes spéciales apparaissent : un bouton pour bloquer l'orientation de l'écran de l'iPhone, des boutons permettant de contrôler la musique et une icône pour lancer rapidement l'application **Musique**.

• Accéder à la recherche. Appuyez sur le bouton **Accueil** lorsque la première page d'icônes est visible. Consultez la section qui suit pour plus d'informations sur la recherche.

• Activer **Siri**. Appuyez longuement sur le bouton pour lancer la fonction de contrôle vocal. Consultez la section « Demander de l'aide à Siri » plus loin dans ce chapitre et le chapitre 13 pour plus d'informations sur Siri.

# Bien utiliser la recherche dans l'iPhone

La recherche permet de trouver un élément dans votre iPhone : elle prend en compte le contenu des messages, les rappels, les éléments du calendrier, les titres et artistes pour la musique, les vidéos, les podcasts ou les livres audio, les notes, les mémos vocaux, les contacts et les applications.

## Plusieurs techniques pour accéder à la recherche

Choisissez la méthode qui vous convient le mieux selon les situations ! Quelle que soit

la technique d'accès à la recherche, l'écran **Rechercher dans l'iPhone** apparaît.

❶ Lorsque l'écran d'accueil est affiché, appuyez sur le bouton **Accueil**.

❷ Lorsque l'écran d'accueil est affiché, faites glisser vers la gauche.

❸ Touchez l'icône **Loupe** juste au-dessus du dock de lancement rapide.

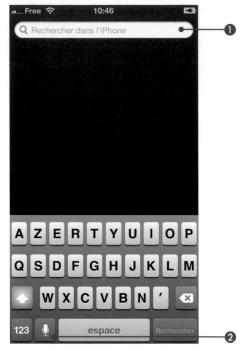

## *Effectuer une recherche dans l'iPhone*

❶ Accédez à l'écran de recherche et saisissez le mot à trouver dans la zone **Rechercher dans l'iPhone**, à l'aide du clavier.

❷ Vous pouvez aussi toucher 🎤 pour utiliser la recherche vocale. Consultez la section qui suit, « Demander de l'aide à Siri », pour plus d'informations sur le contrôle vocal.

❸ Les résultats contenant les caractères saisis s'affichent au fur et à mesure, classés par types.

❹ Touchez l'élément recherché. L'application correspondante (**Contacts**, **Mail** ou **Notes**, par exemple) va se lancer et afficher l'élément.

❺ Que vous ayez trouvé ou non un élément correspondant à la recherche, vous pouvez aussi toucher l'un des deux éléments en bas d'écran pour lancer **Safari** et effectuer une recherche du terme saisi, avec **Google** ou **Wikipedia**.

Pour restreindre la recherche à un ou plusieurs types d'éléments donnés (si, par exemple, vous souhaitez afficher uniquement les résultats parmi les applications, notes et contacts, sans prendre en compte les messages ou les éléments de calendrier), touchez **Réglages ▶ Général ▶ Recherche Spotlight**. Vous pourrez aussi définir l'ordre de tri des résultats de recherche.

# Demander de l'aide à Siri

**Siri** est le nom de l'assistant vocal caché dans l'iPhone 5. Cet outil de contrôle vocal très puissant permet non seulement de « donner des ordres » à votre iPhone, mais aussi de l'interroger sur des choses diverses et variées.

❶ Siri est disponible à tout moment, à condition que l'iPhone soit connecté à Internet. Pour l'utiliser, il suffit d'appuyer longuement sur le bouton **Accueil**.

❷ Grâce au détecteur de proximité, Siri se met aussi en route si vous approchez l'iPhone allumé et déverrouillé de votre oreille (hors conversation téléphonique) et parlez.

❸ L'assistant vocal se met en route et vous écoute. Prenez soin de parler de la manière la plus intelligible possible. Les sons autour de vous peuvent troubler sa compréhension (bruit de fond, circulation, musique, *etc.*).

❹ Siri interprète chaque commande de votre part et vous propose des solutions ou, à défaut, indique qu'il n'a pas compris. Les instructions interprétées par Siri peuvent être relativement complexes. Ses réponses peuvent être surprenantes de perspicacité et vous feront souvent gagner un temps précieux. Quelques exemples :

- « Quel temps fera-t-il mardi à Londres ? » : Siri affiche la météo à Londres pour la journée demandée.

- « Quelle heure est-il à Houston ? » : Siri donne l'heure actuelle à Houston aux États-Unis.

- « Lance Angry Birds » : Siri lance l'application Angry Birds.

- « Affiche l'itinéraire jusqu'à la Tour Eiffel » : Siri lance Plans, trouve votre emplacement et propose un itinéraire entre celui-ci et le lieu mentionné.

- « Dis à Seb que je serai en retard de 5 minutes » : Siri crée un message destiné au contact mentionné, avec le contenu dicté.

- « Rappelle-moi d'acheter du lait en quittant le bureau » : Siri crée un rappel comme demandé.

- « Y a-t-il une bonne pizzeria dans le coin ? » : Siri trouve votre emplacement et liste les restaurants du type demandé autour de vous.

❺ Touchez  pour dicter une nouvelle commande. Lorsque Siri comprend de travers, ou même pas du tout, touchez ou dites **Annuler**.

❻ Siri est aussi présent dans de nombreuses autres applications de l'iPhone, sous la forme d'un bouton 🎤 sur le clavier. Touchez ce bouton pour avoir accès à la saisie vocale. Vous pouvez ainsi dicter un message, un e-mail ou une note, effectuer une recherche vocale dans l'iPhone ou sur Google, *etc.*

> **NOTE** Siri sera encore plus efficace si vous lui donnez des informations vous concernant. Indiquez vos coordonnées dans **Réglages ▶ Général ▶ Siri ▶ Mes infos**. Énoncez aussi à Siri vos liens de parenté avec certains contacts et ces informations seront enregistrées dans sa mémoire. Consultez le chapitre 13 pour plus d'informations au sujet de Siri.

# Maîtriser le clavier et la saisie de texte

Le clavier, en plus de s'afficher uniquement lorsque vous en avez besoin, et de disparaître automatiquement lorsqu'il n'est plus utile, s'adapte généralement au contexte dans lequel vous l'utilisez.

❶ Pour saisir du texte sur le clavier, il suffit de toucher du bout du doigt la touche portant le caractère à saisir.

❷ Pour saisir une majuscule, touchez le bouton .

❸ Effectuez un retour à la ligne en touchant le bouton retour.

❹ Effacez le dernier caractère saisi en touchant le bouton ⌫.

❺ Pour accéder aux caractères spéciaux et aux chiffres, touchez le bouton **123**. Touchez le bouton devenu **ABC** pour revenir aux lettres. D'autres caractères spéciaux se cachent encore derrière la touche **#+=**.

❻ Touchez longuement un caractère pour afficher ses variantes : caractères accentués ou symboles de la même famille.

❼ Dans de nombreux contextes, le clavier donne accès au mode de saisie vocale. Il suffit de toucher 🎤 sur le clavier pour passer en mode de saisie vocale et dicter le texte au lieu de le taper.

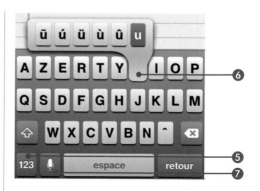

NOTE
Si vous faites pivoter l'iPhone et passez en orientation paysage, vous constaterez que le clavier occupe plus de place en largeur. Cela peut être avantageux, mais dans certains cas, le clavier devient ainsi trop envahissant, masquant une bonne partie de l'écran.

## Éditer le texte

❶ Pour modifier le texte déjà saisi, touchez-le longuement, sans relâcher, pour activer la loupe.

❷ Faites glisser la loupe pour placer le curseur à l'endroit précis que vous souhaitez éditer.

❸ Vous pouvez alors saisir du texte ou effacer des caractères. Touchez l'endroit où vous souhaitez reprendre la saisie avant de continuer.

## *Copier et coller*

La technique du copier-coller permet de copier du texte et des images d'une application vers une autre. Commencez par sélectionner le texte ou l'image à copier.

**❶** Touchez le curseur d'insertion. Les boutons de sélection apparaissent. Touchez **Sélectionner** pour sélectionner le mot adjacent ou **Tout sélectionner** pour sélectionner tout le texte.

**❷** La sélection s'affiche en surbrillance. Vous pouvez la modifier en faisant glisser les curseurs symbolisés par des points bleus. Une bulle affiche la zone en détail pour vous aider à effectuer une sélection précise.

**❸** Une fois la sélection définie, touchez **Copier**.

**❹** Vous pouvez dès lors coller le texte autant que vous le souhaiterez. En attendant, touchez la zone d'édition pour continuer la saisie normalement.

**❺** Lorsque vous souhaitez coller le texte, touchez le curseur d'insertion. Si la zone est petite, utilisez la loupe en appuyant longuement pour plus de précision. Touchez le bouton **Coller**, et le tour est joué !

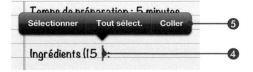

Si du texte est sélectionné avant l'opération de collage, le texte collé remplace la sélection.

## *Comment annuler la dernière saisie ?*

**❶** En cas d'erreur de saisie, secouez l'iPhone.

**❷** Touchez le bouton **Annuler « action »** pour annuler la dernière action.

## Utiliser les suggestions et les corrections

Le correcteur de texte insère automatiquement une majuscule en début de phrase.

Il repère aussi les fautes d'orthographe usuelles : les mots mal orthographiés sont soulignés en pointillés rouges.

❶ Touchez le mot souligné, puis **Remplacer** pour voir des suggestions de correction.

❷ Touchez ensuite le mot à utiliser comme remplacement du mot mal orthographié.

❸ Le dictionnaire peut aussi vous aider à taper encore plus vite : lorsque vous saisissez le début d'un mot reconnu, une bulle suggère le mot complet.

❹ Pour accepter la suggestion et compléter le mot, touchez la barre d'espace. Le mot est automatiquement inséré. Touchez la bulle pour refuser la suggestion.

 Pour désactiver les corrections automatiques, si vous le souhaitez, touchez **Réglages ▶ Généraux ▶ Clavier**. Vous pouvez aussi activer les claviers internationaux pour saisir du texte dans d'autres langues. Consultez la section « Ajouter des claviers internationaux » du chapitre 15 pour plus d'informations à ce sujet.

## Ajouter un mot au dictionnaire interne

Si vous utilisez souvent un mot ou un nom propre non reconnu par l'iPhone, vous pouvez l'ajouter au dictionnaire interne : cela vous évitera de voir ce mot systématiquement corrigé ou signalé comme mal orthographié.

❶ Lancez **Safari**.

❷ Touchez le champ **Google**.

❸ Saisissez le mot, tel que vous souhaitez l'enregistrer.

❹ Touchez le bouton **Recherche** pour lancer la requête.

 Vous pouvez aussi personnaliser le dictionnaire en ajoutant des raccourcis clavier (et ainsi par exemple utiliser le raccourci « bjr » pour saisir rapidement « bonjour » dans tous vos messages, e-mails, notes, *etc.*). Enfin, un clavier spécial permet d'ajouter des « emoji » ou émoticônes à vos messages.

**⑤** Le mot est enregistré !

# Installer une application

Une trentaine d'applications de base, c'est très bien, mais l'iPhone n'aurait pas le succès dont il bénéficie s'il n'existait pas un moyen de décupler ses capacités : l'accès au fameux App Store et à des milliers et des milliers d'applications supplémentaires ! Installer l'un de ces petits programmes complémentaires est aussi rapide que facile.

## Indiquer le compte utilisateur pour l'App Store

**①** Touchez l'icône **Réglages** sur l'écran d'accueil.

**②** Touchez **iTunes Store/App Store**.

**③** Si vous possédez déjà un compte Apple iTunes, saisissez vos identifiants puis touchez le bouton **Connexion**. Sinon, choisissez **Créer un identifiant** et suivez les étapes de création d'un compte.

# Explorer l'App Store

❶ Touchez l'icône **App Store** sur l'écran d'accueil.

❷ L'App Store s'ouvre. Au premier lancement, l'App Store vous suggérera l'installation d'une série d'applications conçues par Apple. Gratuites, elles complètent de manière optionnelle les applications de base et leur installation est recommandée. Touchez le bouton **Téléchargement gratuit** pour les installer.

❸ Le téléchargement des applications est lancé en arrière-plan. Vous pouvez continuer à explorer l'App Store. Touchez le bouton **OK**.

❹ L'App Store permet d'explorer les applications selon plusieurs méthodes : la sélection (les nouveautés du moment), le classement par catégories, Genius (suggestions personnalisées) ou encore la recherche. Touchez les boutons correspondants en bas d'écran.

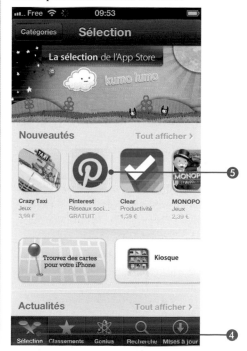

❺ Lorsqu'une application vous intéresse, touchez son icône pour voir plus de détails. Sa fiche complète apparaît.

## Rechercher une application par son nom

**❶** Pour trouver une application par son nom, touchez **Rechercher**.

**❷** Saisissez un ou plusieurs mots-clés.

**❸** Des suggestions s'affichent, vous pouvez toucher l'une d'entre elles. Sinon, touchez **Rechercher** sur le clavier.

**❹** Une liste d'applications apparaît. Faites glisser sur le côté pour voir les applications correspondant à votre recherche.

**❺** Plusieurs informations figurent dans le résumé de chaque application : l'icône, son éditeur, la catégorie dans laquelle elle est proposée. Un bouton indique si l'application est gratuite ou son prix. Vous pouvez directement installer l'application en touchant ce bouton.

**❻** Touchez la fiche résumée d'une application pour voir les détails. La fiche détaillée de l'application apparaît.

❼ Pour installer l'application, touchez le bouton affichant son prix ou **Gratuit**. Confirmez en touchant à nouveau le bouton, devenu **Acheter l'app** (applications payantes) ou **Installer l'app** (applications gratuites). Si le bouton visible dans la fiche d'une application indique **Installer** en lieu et place de son prix ou de la mention **Gratuit**, c'est que vous avez déjà acheté cette application sur un autre appareil. Vous pouvez donc la télécharger à nouveau (sans avoir à payer) sur votre iPhone.

❽ Le téléchargement de l'application démarre. Sa durée dépend à la fois de l'application (certaines sont très volumineuses, d'autres moins) et de la rapidité de votre connexion Internet.

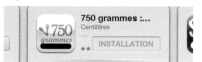

❾ À la fin de l'opération, si la fiche de l'application est toujours visible, touchez le bouton **Ouvrir** pour lancer l'application installée.

❿ Sinon, appuyez sur le bouton **Accueil** : une nouvelle icône figure sur l'écran d'accueil de votre iPhone : l'application est installée.

⓫ Un bandeau bleu avec la mention « Nouv. » vous permet d'identifier facilement les applications récemment installées sur votre iPhone. Touchez une icône pour lancer l'application correspondante.

 **NOTE** Sur l'App Store, la présence du signe « + » dans le coin supérieur gauche du bouton indiquant le prix ou la gratuité d'une application signale les applications fonctionnant à la fois sur iPhone et sur iPad.

# Activer la connexion Wi-Fi

❶ Touchez **Réglages ▸ Wi-Fi**.

❷ Touchez le curseur **Wi-Fi** (si l'option n'est pas déjà activée).

❸ La liste des réseaux Wi-Fi disponibles apparaît. Pour chaque réseau, le nom et la puissance du signal s'affichent. Vous pouvez voir plus d'informations sur un réseau en touchant la flèche bleue. Les réseaux sécurisés, c'est-à-dire exigeant un mot de passe, sont signalés par un cadenas.

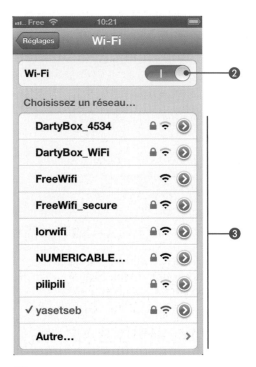

**⑤** Vérifiez que l'option **Confirmer l'accès** est bien activée afin que l'iPhone vous avertisse de la présence d'un réseau accessible (lorsque aucun de vos réseaux connus n'est disponible).

**⑥** Lorsque l'iPhone est connecté à un réseau Wi-Fi, l'icône 📶 apparaît dans la barre d'état en haut d'écran.

> **NOTE** Les réseaux Wi-Fi disponibles sont tous les réseaux sans fil à proximité dont le signal est assez fort pour être capté par le récepteur de votre iPhone. Ils peuvent donc changer lorsque vous vous déplacez, même de quelques mètres ! Les réseaux Wi-Fi publics gratuits sont nombreux autour de vous : les mairies, bibliothèques, cafés et restaurants proposent souvent ce type d'accès.

**④** Pour rejoindre un réseau, touchez son nom. Saisissez éventuellement le mot de passe demandé et touchez **Rejoindre**.

# Désactiver temporairement l'accès à Internet

**①** Si vous avez tenté d'effectuer une connexion à un réseau Wi-Fi, mais que celui ne fonctionne pas, l'iPhone tentera tout de même de s'y reconnecter à défaut de réseau connu autour de lui, ce qui peut être très ennuyeux à la longue. Dans ce cas, touchez la flèche bleue puis **Oublier ce réseau**.

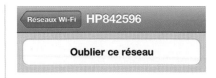

❷ De même, dans les lieux publics, si l'iPhone tente de se connecter sans cesse à des réseaux Wi-Fi, dont vous savez qu'ils ne fonctionneront pas, vous pouvez temporairement désactiver le Wi-Fi et rester en 3G : touchez **Réglages ▸ Wi-Fi**. Touchez le curseur **Wi-Fi**. De retour en « terrain Wi-Fi connu », n'oubliez pas de le réactiver de la même manière. Votre réseau Wi-Fi habituel sera automatiquement et immédiatement reconnu par l'iPhone.

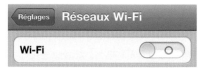

❸ À l'opposé, dans certains cas, vous pourrez vouloir désactiver uniquement la 3G et conserver un accès au Wi-Fi. À l'étranger, par exemple, où la connexion à Internet par la 3G peut coûter très cher. Touchez **Réglages ▸ Général ▸ Réseau cellulaire** et touchez le curseur **Données cellulaires** pour désactiver le mode 3G. Touchez le curseur **Données à l'étranger** pour activer ou désactiver l'accès à Internet lorsque vous n'êtes pas dans une zone couverte par votre opérateur.

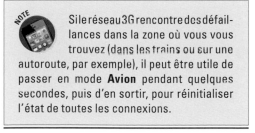

Si le réseau 3G rencontre des défaillances dans la zone où vous vous trouvez (dans les trains ou sur une autoroute, par exemple), il peut être utile de passer en mode **Avion** pendant quelques secondes, puis d'en sortir, pour réinitialiser l'état de toutes les connexions.

❹ Enfin, vous pouvez aussi volontairement couper tout accès à Internet et à la téléphonie sur l'iPhone grâce au mode **Avion**. Touchez **Réglages ▸ Mode Avion**. Lorsque le mode Avion est activé, l'icône ✈ apparaît dans la barre d'état en haut d'écran. Il suffit de toucher à nouveau le curseur **Mode Avion** pour que l'iPhone se reconnecte aux réseaux téléphoniques et Internet précédemment utilisés.

# Comprendre les réglages du volume, du vibreur et le mode silencieux

**❶** Utilisez les boutons situés juste à côté du commutateur pour ajuster le volume de la sonnerie. Ces boutons servent aussi à régler le volume de lecture pour la musique et les vidéos, ainsi que l'intensité sonore d'une conversation téléphonique.

**❷** Pour que l'iPhone ne sonne pas, vous pouvez passer en mode « silencieux ». Basculez le commutateur situé sur le côté gauche de l'iPhone. Basculez à nouveau le commutateur pour activer la sonnerie.

**❸** Vous pouvez activer le vibreur pour signaler les appels, en plus de la sonnerie ou en mode silencieux : touchez **Réglages ▸ Sons**. Pour activer le vibreur à la réception d'un appel en mode silencieux, touchez le curseur **En mode silencieux** dans la section **Vibreur**.

**❹** Pour activer le vibreur à la réception d'un appel lorsque l'iPhone n'est pas en mode silencieux, en plus de la sonnerie, touchez le curseur **Avec la sonnerie** dans la section **Vibreur**.

**❺** Pour ajuster le volume des sonneries et des alertes, faites glisser le curseur.

**❻** L'option **Utiliser les boutons** permet de dissocier le réglage du volume de la sonnerie et le niveau sonore général de l'iPhone (utilisé pour la musique, les vidéos, *etc.*). Si vous la désactivez, les boutons de réglage du volume n'agiront plus que sur le niveau sonore de l'iPhone (musique, vidéos, jeux, *etc.*) et non sur la sonnerie et les alertes.

**❼** Faites glisser vers le bas pour afficher les réglages sonores pour chaque type de message ou alerte reçu sur votre iPhone : vous pouvez ainsi choisir une sonnerie différente pour les appels, les SMS, messages vocaux, mais aussi les alertes Twitter ou Facebook, *etc.*

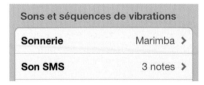

❽ Enfin, utilisez les curseurs tout en bas d'écran pour activer ou désactiver les sons de verrouillage (le son se produisant lorsque vous mettez l'iPhone en veille) et les clics du clavier (chaque appui sur une touche produisant un son).

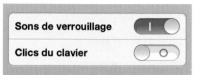

**En plus du paramétrage général des sons, vous pouvez choisir une sonnerie personnalisée pour chaque contact du carnet d'adresses. Par ailleurs, l'iPhone 5 permet aussi de choisir votre vibration et même créer votre propre rythme personnalisé pour celle-ci. Consultez le chapitre 3 pour plus d'informations sur ces sujets.**

# *Paramétrer et utiliser le mode Ne pas déranger*

Nouveauté de l'iPhone 5, le mode **Ne pas déranger** répond à un besoin précis des utilisateurs : restreindre les alertes et communications sans pour autant éteindre l'iPhone (ou passer en mode **Avion**). Très pratique, ce mode permet de définir des plages horaires pendant lesquelles l'iPhone n'est pas joignable. Vous pouvez toutefois décider de ne pas filtrer les appels des contacts se trouvant dans votre liste de favoris ou les appels répétés. Commencez par paramétrer les réglages du mode **Ne pas déranger**. Vous pouvez ensuite l'activer ou le désactiver rapidement depuis les réglages.

❶ Paramétrez le mode **Ne pas déranger** en touchant **Réglages ▸ Notifications ▸ Ne pas déranger**.

❷ Pour définir une plage horaire spécifique pour le blocage des alertes et appels entrants, touchez le curseur **Horaire**. Le mode **Ne pas déranger** sera automatiquement activé durant cette plage horaire.

❸ Touchez la zone située sous le curseur **Horaire** et indiquez le début et la fin de la plage horaire choisie.

❹ Pour spécifier les contacts dont les appels seront autorisés en mode **Ne pas déranger**, touchez le curseur **Autoriser les appels de**.

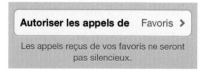

❺ Indiquez si tout le monde, personne ou uniquement vos contacts favoris peuvent vous appeler lorsque le mode **Ne pas déranger** est actif. Vous pouvez aussi choisir un groupe spécifique de contacts.

**⑥** Décidez enfin si vous autorisez les appels répétés lorsque le mode **Ne pas déranger** est actif. Une personne vous appelant deux fois en moins de 3 minutes sera ainsi autorisée à vous joindre malgré le mode **Ne pas déranger**.

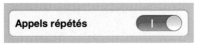

**⑦** Touchez le bouton **Accueil** pour quitter les réglages.

**⑧** Pour activer le mode **Ne pas déranger**, touchez **Réglages** et activez le curseur **Ne pas déranger.**

**⑨** Lorsque le mode **Ne pas déranger** est actif, l'icône ☾ apparaît dans la barre d'état, à côté de l'heure.

**⑩** Pour désactiver le mode **Ne pas déranger**, y compris durant les plages horaires définies, touchez **Réglages** et désactivez le curseur **Ne pas déranger**.

 Pour utiliser la fonction de filtrage des appels par groupe de contacts ou selon les favoris, vous devez paramétrer ces listes dans le carnet d'adresses au préalable. Consultez le chapitre 3 pour plus d'informations à ce sujet.

# Verrouiller l'orientation de l'écran

Même s'il est bien pratique que l'iPhone détecte automatiquement les changements d'orientation, dans certains cas, vous pouvez vous en passer, voire même souhaiter que cela n'arrive pas : c'est le cas par exemple lorsque vous-même n'avez pas une orientation bien définie (allongé, par exemple) ou changez régulièrement de position (passage de debout à assis). L'iPhone peut dans ce cas détecter involontairement un changement d'orientation et pivoter sans que cela ne soit désiré. Le verrouillage manuel de l'orientation consiste à bloquer l'orientation de l'écran de l'iPhone dans un sens : portrait ou paysage. Dès lors, et jusqu'au

déverrouillage de l'orientation, vous pouvez faire pivoter l'iPhone dans tous les sens, l'écran gardera l'orientation choisie au moment du verrouillage.

**❶** Commencez par positionner l'iPhone dans l'orientation choisie : portrait ou paysage.

**❷** Appuyez rapidement deux fois sur le bouton **Accueil**.

**❸** Faites glisser de gauche à droite dans la zone en bas d'écran pour afficher les commandes spéciales.

**4** Touchez le bouton **Verrouillage de l'orientation**.

**5** Un message vous indique l'orientation choisie et verrouillée.

**6** Appuyez sur le bouton **Accueil** pour reprendre votre activité sur l'iPhone. Notez que l'icône de verrouillage de l'orientation apparaît dans la barre d'état.

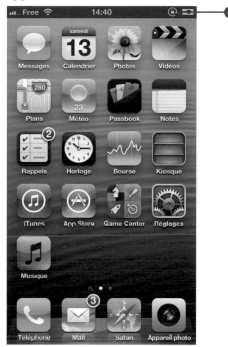

**7** Vous pouvez alors faire pivoter l'iPhone : l'écran ne change pas d'orientation.

 Pour déverrouiller l'orientation, procédez de la même manière que pour le verrouillage : appuyez rapidement deux fois sur le bouton **Accueil**, faites glisser vers la droite, touchez le bouton **Verrouillage de l'orientation**.

# Découvrir les applications de base

Voici une présentation rapide des applications de base de l'iPhone.

 **Appareil photo**
Pour prendre des photos et des vidéos.

 **App Store**
Pour accéder à l'App Store et télécharger des applications iPhone.

 **Bourse**
Pour afficher les cours de la Bourse.

 **Boussole**
Pour afficher l'orientation et le nord magnétique.

 **Calculette**
Pour effectuer des calculs simples (mode portrait) ou scientifiques (mode paysage).

 **Calendrier**
Pour gérer votre agenda.

 **Contacts**
Pour gérer votre carnet d'adresses.

 **Dictaphone**
Pour enregistrer des mémos vocaux.

 **Game Center**
Pour jouer à des jeux en réseau avec vos amis.

 **Horloge**
Pour afficher l'heure, définir des alarmes, chronométrer ou minuter.

 **Kiosque**
Pour acheter et lire sur l'iPhone des magazines électroniques.

 **Musique**
Pour écouter votre musique.

 **iTunes**
Pour accéder à iTunes Store et télécharger du contenu numérique.

 **Mail**
Pour consulter votre messagerie électronique et échanger des courriels.

 **Messages**
Pour envoyer et recevoir des SMS/MMS ou des iMessages entre appareils Apple.

 **Météo**
Pour afficher la météo dans plusieurs villes du monde.

 **Notes**
Pour prendre des notes écrites.

 **Photos**
Pour visualiser vos bibliothèques de photos et vidéos.

 **Plans**
Pour afficher des plans et calculer des itinéraires.

 **Rappels**
Pour gérer votre liste de choses à faire et à ne pas oublier.

 **Réglages**
Pour ajuster les options de l'iPhone.

 **Safari**
Pour surfer sur le Web.

 **Téléphone**
Pour passer des appels et accéder à la messagerie.

 **Vidéos**
Pour regarder vos vidéos.

Une série d'applications dont l'installation est facultative (mais gratuite) peut aussi être considérée comme partie intégrante des applications de base. Vous devez toutefois explicitement les télécharger depuis l'App Store ou les réglages de l'iPhone :

 **Facebook**
Pour publier des mises à jour et consulter votre fil d'actualité sur le célèbre réseau social Facebook.

 **iBooks**
Pour acheter et lire sur l'iPhone des livres électroniques.

 **Localiser mon iPhone**
Pour vous aider à localiser votre iPhone égaré.

 **Twitter**
Pour envoyer et recevoir des « tweets », les mini-messages du célèbre réseau social Twitter.

  **NOTE** L'application YouTube, pour accéder à YouTube et voir des vidéos en ligne, ne fait désormais plus partie des applications de base (depuis la version 6 d'iOS). Vous devez explicitement la télécharger sur l'App Store. Consultez la section « Qu'est-ce qu'iOS ? » plus loin dans ce chapitre pour plus d'informations sur ce point et le chapitre 10 qui traite de YouTube.

## Utiliser plusieurs applications à la fois

Lorsque vous utilisez une application, à tout moment, vous pouvez en lancer une autre et garder ce que vous faisiez à l'arrière-plan. C'est ce qui s'appelle le « multitâche ».

**1** Lancez une application au choix.

**2** Appuyez rapidement deux fois de suite sur le bouton **Accueil**.

**3** La barre de tâches apparaît en bas d'écran. Les applications récemment utilisées apparaissent d'abord.

**4** Touchez l'icône d'une application pour la lancer.

**5** Pour revenir à l'application initiale ou en lancer une autre, recommencez : appuyez rapidement deux fois de suite sur le bouton **Accueil** et touchez une icône d'application. Vous pouvez aussi toucher l'écran en dehors de la barre de tâches du bas d'écran, n'importe où, pour revenir à l'application en cours.

Une pastille rouge avec un chiffre à l'intérieur s'affiche sur l'une des icônes ? L'iPhone souhaite vous informer d'un nouvel élément à consulter dans l'application concernée : un nouveau message, une mise à jour disponible, *etc*. Lancez l'application pour en savoir plus.

## Forcer la fermeture d'une application

Il peut arriver que l'application rencontre un problème et se trouve bloquée au cours de son exécution, puis ne redémarre pas normalement. Voici une solution.

❶ Si même après avoir quitté et relancé l'application, celle-ci ne démarre pas correctement, affichez la barre de tâches en appuyant rapidement deux fois de suite sur le bouton **Accueil**.

❷ Touchez longuement une des icônes s'y trouvant, jusqu'à ce qu'elles frémissent.

❸ Touchez le bouton ⊖ pour forcer la fermeture de l'application concernée.

 Un redémarrage de l'iPhone permet aussi généralement de résoudre ce type de problème. L'opération consistant à forcer la fermeture d'une application permet aussi de libérer la mémoire de l'iPhone.

❹ Touchez le bouton **Accueil** puis relancez l'application.

## Qu'est-ce qu'iOS ?

**iOS** est le **système d'exploitation** de votre iPhone, autrement dit, c'est un peu ce qu'est Windows à votre PC ou Mac OS à votre Mac. Le système d'exploitation gère toutes les fonctionnalités intrinsèques de l'iPhone et évolue régulièrement.

À l'heure où ces lignes sont écrites, c'est iOS 6 qui est en vigueur. Certains changements fondamentaux introduits avec iOS 6 ont surpris les utilisateurs de longue date (comme la disparition de YouTube des applications de base) voire même fortement déplu (c'est le cas en particulier de la refonte complète de l'application **Plans**).

Vous pouvez et devez mettre votre iPhone à jour lorsqu'une nouvelle version d'iOS est proposée. Consultez la section « Mettre à jour l'iPhone » du chapitre 2 pour plus d'informations à ce sujet.

# Quand recharger l'iPhone ?

Plusieurs solutions s'offrent à vous lorsqu'il s'agit de recharger votre iPhone. Mais tout d'abord, quand devez-vous le faire ? Probablement tous les jours si vous utilisez votre iPhone de manière intensive, en particulier si vous vous servez beaucoup de la 3G ou du Bluetooth, gourmands en énergie ! Un peu moins souvent si vous ne l'utilisez « que » pour téléphoner.

Le niveau de la batterie apparaît dans la barre d'état de l'iPhone, tout en haut à droite de l'écran. Lorsqu'il passe dans le rouge (moins de 20 % de charge restante), il est temps de recharger votre iPhone !

# Afficher précisément le niveau de la batterie

Pour plus de précision, et comme la batterie se vide rapidement, il est judicieux d'activer (si ce n'est pas déjà fait) l'option qui affiche le pourcentage précis de charge restante à côté de l'indicateur.

❶ Rendez-vous dans les paramètres : touchez **Réglages** sur l'écran d'accueil.

❷ Touchez **Général ▸ Utilisation**.

❸ En bas d'écran, activez l'option **Niveau de la batterie**.

❹ Le niveau précis de la batterie, en pourcentage, apparaît dans la barre d'état.

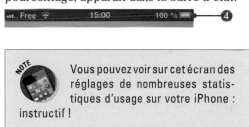

> **NOTE**
> Vous pouvez voir sur cet écran des réglages de nombreuses statistiques d'usage sur votre iPhone : instructif !

# Recharger l'iPhone

❶ Pour recharger votre iPhone, utilisez le câble de connexion fourni. Vous pouvez brancher l'iPhone sur votre ordinateur avec le câble USB ou directement sur le courant avec la prise électrique.

❷ Laissez l'iPhone branché aussi longtemps que nécessaire : une charge complète peut prendre de trois heures (sur la prise électrique) à près de huit heures (*via* le port USB d'un MacBook Pro).

**❸** Déconnectez l'iPhone une fois le niveau maximal atteint.

 Le choix du câble USB relié en permanence à l'ordinateur est pertinent, car vous pourrez ainsi connecter votre iPhone à iTunes, pour effectuer des transferts de données et, surtout, des sauvegardes automatiques. Cela a un autre avantage certain : en voyage, fini les problèmes d'adaptateur secteur, car les ports USB d'ordinateur sont très répandus et universels ! Il vous suffira donc de trouver un ordinateur pourvu de ports USB pour pouvoir recharger votre iPhone.

## Le chargeur de mon ancien iPhone est-il compatible avec l'iPhone 5 ?

Hélas, la réponse est non.

L'iPhone 5 est doté d'un nouveau type de connecteur, appelé connecteur Lightning…

Il est donc impossible d'utiliser directement vos anciens chargeurs avec l'iPhone 5, mais surtout, et c'est plus ennuyeux, avec vos appareils type dock de chargement, haut-parleurs ou projecteurs compatibles avec cette connectique (utilisée jusqu'à l'iPhone 4/4S ou la dernière version de l'iPad existante à l'heure où ces lignes sont écrites : le nouvel iPad).

… par opposition à ses prédécesseurs équipés d'un connecteur moins compact, dit « à 30 broches ».

Apple commercialise toutefois un adaptateur compact pour connecter vos accessoires à 30 broches aux appareils équipés du connecteur Lightning (au prix de 29 € au moment de la sortie de l'iPhone 5).

Rendez-vous sur le site Web de l'Apple Store ou dans une boutique Apple pour acquérir cet accessoire.

# Éteindre l'iPhone

Même si vous utilisez votre iPhone jour et nuit, il vous faudra bien l'éteindre de temps en temps : cela permet de libérer la mémoire et prévient les ralentissements indésirables de votre appareil.

❶ Pour éteindre votre iPhone, appuyez longuement sur le bouton de démarrage, sans relâcher, jusqu'à l'apparition du curseur rouge. Si vous faites un appui court, l'iPhone passe en veille : vous devez le déverrouiller et recommencer !

❷ Faites alors glisser le curseur **Éteindre** vers la droite (touchez **Annuler** pour laisser l'iPhone allumé).

❸ L'iPhone s'éteint.

 **NOTE** L'iPhone peut aussi bien sûr s'éteindre lorsque la batterie est vide. Dans ce cas, branchez-le à l'aide du chargeur et patientez un peu : vous ne pourrez pas démarrer l'iPhone immédiatement, il faudra attendre que le niveau de charge remonte un minimum.

## Débloquer l'iPhone

Il peut arriver que l'iPhone se bloque complètement. Essayez d'appuyer sur tous les boutons : démarrage, volume, accueil. Si l'iPhone semble figé et ne répond plus, branchez-le sur le courant (de préférence), puis appuyez simultanément sur :

**①** le bouton de démarrage ;

**②** l'un des boutons de volume ;

**③** le bouton **Accueil**.

Maintenez les boutons enfoncés pendant au moins 5 secondes.

**NOTE** Pourquoi brancher l'iPhone sur le courant plutôt que sur le port USB de votre ordinateur ? Tout simplement car la puissance électrique délivrée par un port USB n'est pas très élevée, comparée à celle d'une prise de courant.

# Forcer le redémarrage

Si aucune des techniques présentées ci-dessus ne fonctionne, passez à la vitesse supérieure et forcez le redémarrage de l'iPhone.

❶ Appuyez simultanément sur le bouton **Accueil** et le bouton de démarrage.

❷ Maintenez les boutons enfoncés pendant 10 secondes.

❸ Relâchez le bouton **Accueil** (et uniquement ce bouton) et maintenez la pression sur le bouton de démarrage pendant 10 secondes de plus.

❹ Relâchez le bouton de démarrage.

L'iPhone devrait redémarrer.

 Que faire si l'iPhone peine à redémarrer ? Si l'iPhone semble bloqué ou peine à redémarrer, forcez l'extinction en suivant la procédure ci-dessus, puis connectez-le à votre ordinateur, sur lequel vous aurez pris soin de lancer iTunes. Essayez ensuite de redémarrer l'iPhone. La pomme devrait apparaître !

# Chapitre 2

# Premier démarrage, personnalisation et sauvegarde de l'iPhone

Ce chapitre aborde en détail l'initialisation de l'iPhone suite au premier démarrage et la question du logiciel iTunes. Vous apprendrez aussi à personnaliser l'iPhone et à le protéger, notamment grâce à un code de sécurité. Enfin, vous aborderez le sujet essentiel des mises à jour et de la sauvegarde du contenu de votre iPhone.

# Que faire suite au premier démarrage de l'iPhone ?

Le premier démarrage de l'iPhone est particulier : vous allez devoir insérer la carte SIM, procéder à l'activation de votre appareil, ainsi qu'à toute une série de réglages initiaux.

## Insérer la carte SIM

La première étape consiste à insérer une carte SIM de dernière génération, dite « nano SIM », valide et activée, dans l'iPhone 5. Pour plus d'informations sur la nano SIM, consultez les sections qui suivent.

❶ Préparez la carte nano SIM de votre iPhone 5. Vous devez l'insérer dans l'iPhone, avant de l'allumer.

❷ Ouvrez le tiroir SIM de votre nouvel iPhone, à l'aide de l'outil *ad hoc* (situé sur le rabat de la pochette cartonnée fournie avec l'appareil).

❸ Le tiroir se trouve sur le côté droit du boîtier de l'iPhone 5.

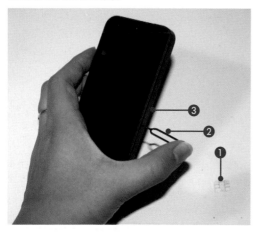

❹ Grâce au coin biseauté, placez la carte SIM correctement dans le tiroir.

❺ Réintroduisez ensuite le tiroir SIM dans l'iPhone 5 et poussez-le. Un clic confirme sa fermeture.

❻ Allumez l'iPhone : appuyez longuement sur le bouton de démarrage. Le logo Apple apparaît.

## *Activer l'iPhone et déverrouiller la carte SIM*

❶ Faites glisser votre doigt sur le curseur **Configurer**, dans le sens indiqué par la flèche.

❷ Saisissez votre code PIN : touchez le bouton **Déverrouiller** puis saisissez votre code à quatre chiffres en appuyant successivement sur les chiffres correspondants du clavier. Si votre carte SIM est nouvelle, le code PIN est en principe indiqué sur le courrier d'accompagnement. À défaut, essayez 0000 ou 1234, mais attention : 3 tentatives infructueuses provoqueront le blocage de votre carte SIM.

❸ Touchez **OK**.

**NOTE** Si votre carte SIM n'est pas encore active, le message « Carte SIM verrouillée » s'affiche. Vous devez procéder à l'activation de la carte SIM avant de poursuivre le démarrage de l'iPhone. Consultez les sections qui suivent pour plus d'informations sur l'activation de la carte SIM.

## *Configurer les réglages fondamentaux de votre iPhone*

Poursuivez l'activation de l'iPhone par les étapes qui suivent. Munissez-vous de l'identifiant et du mot de passe de votre réseau Wi-Fi personnel (celui de votre « box » Internet).

❶ Choisissez d'abord la langue de l'iPhone, puis touchez la flèche bleue.

❷ Indiquez votre pays et votre région, puis touchez le bouton **Suivant**.

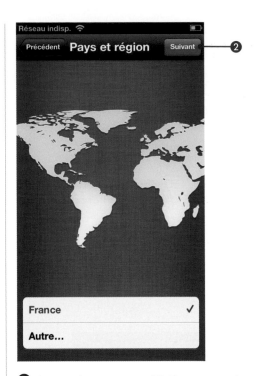

❸ Activez la connexion Wi-Fi, puis touchez le réseau souhaité. Si aucun réseau Wi-Fi n'est disponible, vous pourrez toujours configurer l'iPhone en le connectant à un ordinateur sur lequel vous aurez pris le soin d'installer et de lancer le logiciel iTunes. Consultez la section « Activer l'iPhone sans connexion Internet » pour plus d'informations.

❹ Indiquez le mot de passe associé au réseau choisi puis touchez le bouton **Rejoindre**.

❺ Patientez pendant quelques instants : l'activation de votre iPhone a lieu.

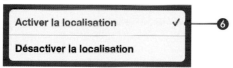

❻ Activez la localisation (recommandé), puis touchez le bouton **Suivant**.

❼ Choisissez alors si vous souhaitez configurer l'iPhone comme nouvel appareil (si c'est votre premier iPhone, c'est l'option à choisir) ou restaurer les données à partir d'une sauvegarde sur iCloud ou sur iTunes (c'est probablement ce que vous souhaiterez faire si vous possédez déjà un iPhone : dans ce cas, consultez la section « Restaurer le contenu de votre ancien iPhone » plus loin dans ce chapitre). Touchez le bouton **Suivant**.

❽ Vous devez posséder un identifiant Apple dans tous les cas, et il vous sera de toute façon indispensable par la suite. Touchez **Nouvel identifiant Apple gratuit** si ce n'est pas le cas et suivez les étapes simples de création d'un compte. Si vous possédez déjà un identifiant Apple, touchez le bouton **Connexion avec un id. Apple**.

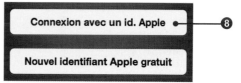

❾ Indiquez votre identifiant Apple (adresse e-mail) et le mot de passe associé, puis touchez le bouton **Connexion**.

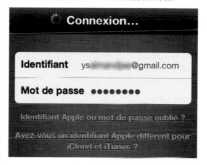

❿ Un écran supplémentaire vous invitera à accepter les conditions générales d'utilisation : touchez le bouton **Accepter** lorsque demandé.

⓫ Indiquez ensuite si vous souhaitez utiliser iCloud (recommandé) et utiliser iCloud pour la sauvegarde (recommandé pour se passer d'iTunes sur ordinateur). iCloud permet tout simplement de stocker tous vos contenus (musiques, vidéos, photos, projets, *etc.*) dans le « nuage », sans fil, puis d'y accéder depuis tous vos appareils Apple. Touchez **Utiliser iCloud** puis le bouton **Suivant**.

**⑫** Dans l'écran de paramétrage des sauvegardes, choisissez **Sur iCloud** puis touchez le bouton **Suivant**.

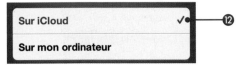

**⑬** Indiquez si vous souhaitez utiliser la fonction **Localiser mon iPhone** (recommandé). Touchez le bouton **Suivant**. Consultez le chapitre 13 pour plus d'informations à ce sujet.

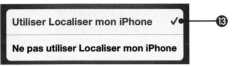

**⑭** Paramétrez vos options de contact **iMessage** et **FaceTime** : il s'agit ici de choisir les différents moyens mis à disposition de vos contacts pour vous joindre, parmi ceux associés à votre compte Apple. Vous pouvez conserver tous les numéros de téléphone et toutes les adresses de messagerie ou toucher l'un d'entre eux pour ne pas l'utiliser. Touchez le bouton **Suivant**.

**⑮** Indiquez si vous souhaitez utiliser la fonction de contrôle vocal **Siri** (recommandé). Touchez le bouton **Suivant**. Consultez le chapitre 13 pour plus d'informations sur Siri.

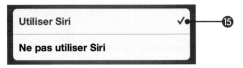

**⑯** Indiquez si vous souhaitez participer à l'amélioration du produit grâce à l'envoi automatique des diagnostics d'erreurs et effectuer l'enregistrement de l'appareil (recommandé).

**⓱** L'écran de fin de configuration apparaît : touchez **Commencer à utiliser l'iPhone**.

**⓲** L'écran principal apparaît, avec ses icônes. Votre iPhone est prêt à l'emploi !

# Que signifie le message « Carte SIM verrouillée » au premier démarrage ?

Si ce message apparaît juste après le tout premier écran de configuration, suite au premier démarrage de l'iPhone, c'est que votre carte SIM n'est pas encore activée.

Suivez la procédure indiquée sur le courrier d'accompagnement de votre carte SIM et munissez-vous du numéro de carte pour l'activer.

# Quelle est la particularité de la nouvelle carte SIM adaptée à l'iPhone 5 ?

La carte SIM de l'iPhone 5 a la spécificité d'avoir des dimensions réduites : elle est en en effet toute petite, d'où son nom de « nano SIM ». À l'heure où ces lignes sont écrites, seul l'iPhone 5 accepte ce nouveau type de carte SIM, toujours et encore plus petite et donc plus légère que ses prédécesseurs.

Pour l'iPhone 5, plus grand, mais toutefois plus léger que les anciennes versions de l'iPhone, chaque centimètre et chaque gramme compte !

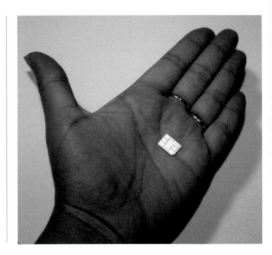

# Comment obtenir une nano SIM pour l'iPhone 5 ?

❶ Si vous avez acquis votre iPhone 5 sans abonnement ou ne disposez pas encore d'une nano SIM correspondant à votre abonnement téléphonique, vous devez en faire spécifiquement la demande auprès de votre opérateur de téléphonie mobile, *via* son site Web ou en boutique (service facturé par certains opérateurs).

❷ Vous devrez ensuite activer la nouvelle SIM, toujours *via* le site Web de votre opérateur, avant d'insérer la carte dans l'iPhone 5.

❸ La procédure consiste généralement à indiquer l'ICCID de la carte SIM.

**Vous avez reçu votre Carte SIM ? Cliquez ici pour l'activer.**

**Entrez votre ICCID' :**
*Ce numéro est composé de 19 chiffres, et se trouve en dessous du code barre, au dos de votre carte SIM*

8933150412080047086

Activer ma carte SIM

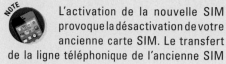

L'activation de la nouvelle SIM provoque la désactivation de votre ancienne carte SIM. Le transfert de la ligne téléphonique de l'ancienne SIM vers la nouvelle peut prendre de quelques minutes à quelques heures

# Trouver l'ICCID de la carte SIM

L'ICCID est un numéro composé de 19 chiffres et nécessaire pour activer votre nouvelle carte SIM.

❶ Il se trouve en principe en dessous du code-barres, au dos de votre carte SIM.

❷ Vous y trouverez aussi en principe le code PIN et le code PUK de la carte SIM.

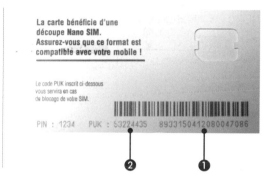

La carte bénéficie d'une découpe Nano SIM. Assurez-vous que ce format est compatible avec votre mobile !

Le code PUK inscrit ci-dessous vous servira en cas de blocage de votre SIM.

PIN : 1234    PUK : 53224435    8933150412080047086

# Quel est le code PIN de la nouvelle carte SIM ?

Le code PIN associé à une nouvelle carte SIM est généralement inscrit sur le courrier d'accompagnement envoyé de la part de votre opérateur de téléphonie, ou sur la carte elle-même.

Il peut s'agir de 0000 ou 1234, selon les opérateurs. Il est bien entendu plus que recommander d'en changer immédiatement !

Le code PUK de votre nouvelle carte SIM se trouve aussi sur ce document fourni par votre opérateur de téléphonie. Conservez-le précieusement, il vous sera indispensable en cas de blocage de la SIM suite à trois essais infructueux de saisie du code PIN.

# Modifier le code PIN de la carte SIM

Si vous ne changez pas le code PIN par défaut de votre carte SIM et perdez votre iPhone, il sera aisé à quiconque de passer des appels, consulter votre messagerie vocale, et accéder à toute fonction protégée par le code PIN !

❶ Pour modifier le code PIN, touchez **Réglages ▸ Téléphone ▸ PIN carte SIM** en bas de l'écran.

❷ Touchez **Modifier le code PIN**.

❸ Commencez par saisir le code PIN actuel.

❹ Saisissez ensuite deux fois de suite le nouveau code de votre choix à quatre chiffres. Touchez **Nouveau PIN** et saisissez les quatre chiffres. Touchez **Confirmez le PIN** et saisissez les mêmes quatre chiffres.

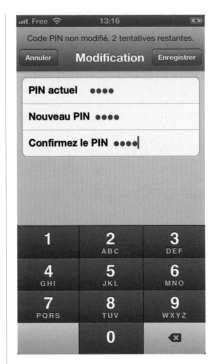

❺ Touchez **Enregistrer**.

 Dans l'écran **PIN Carte SIM** des réglages, vous pouvez désactiver le code PIN : touchez le curseur **Activer le code PIN** en haut d'écran (cette opération n'est toutefois pas recommandée). À l'inverse, vous pouvez décider d'ajouter un code de sécurité supplémentaire pour protéger l'accès à votre iPhone. Consultez la section « Protéger l'iPhone par mot de passe » plus loin dans ce chapitre.

# Débloquer une SIM après 3 erreurs de code PIN

**❶** Si vous saisissez trois fois de suite un code PIN incorrect, l'iPhone ne sera pas déverrouillé et votre carte SIM sera bloquée.

**❷** Vous devrez alors indiquer un autre code de sécurité appelé « code PUK ». Ce code est en principe inscrit sur le courrier d'accompagnement de votre carte SIM, ou disponible par l'intermédiaire du service client de votre opérateur de téléphonie.

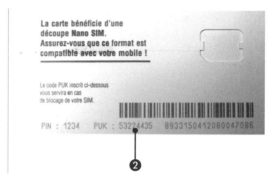

# Au sujet du logiciel iTunes

iTunes est le logiciel compagnon de votre iPhone sur votre ordinateur. Il sert à transférer du contenu depuis votre ordinateur vers l'iPhone (musique, photos, etc.), et sert aussi d'outil de sauvegarde et de mise à jour de l'iPhone.

Incontournable, vous l'utiliserez très souvent et il est difficile, même avec les

nouvelles fonctionnalités de synchronisation iCloud, de faire l'impasse sur son installation.

La bonne nouvelle est qu'iTunes est gratuit, facile et rapide à installer, sur PC comme sur Mac.

# Est-il possible de se passer d'iTunes ?

En principe, oui, vous pouvez ne jamais utiliser iTunes et ne jamais connecter votre iPhone à un ordinateur. Toutefois, ne soyez pas réticent à installer iTunes et à créer un compte utilisateur : c'est un logiciel qui vous sera de toute façon indispensable en complément de votre iPhone et vous servira à la fois :

- d'outil de sauvegarde pour votre iPhone ;
- d'outil de transfert (ou de synchronisation) entre votre ordinateur et votre iPhone ;
- de boutique pour acheter des éléments multimédias (musiques, films, séries, etc.) ;

- de lecteur de contenu multimédia pour votre ordinateur.

Sans iTunes, vous pouvez toujours utiliser l'essentiel des fonctions de votre iPhone, mais impossible de transférer votre musique et vos photos depuis l'ordinateur, et surtout, de sauvegarder le contenu de votre iPhone (ce qui est vraiment utile en cas de panne/perte/changement d'appareil). Quant à la création d'un compte utilisateur, elle n'est pas indispensable en théorie, mais vous ne pourrez probablement pas y échapper non plus : même pour télécharger des applications gratuites sur l'App Store, vous devez en posséder un.

Une autre raison incontournable peut éventuellement vous obliger à l'installation d'iTunes. Si vous ne disposez pas d'une connexion Internet par le Wi-Fi au moment du premier démarrage de l'iPhone, vous devrez le connecter à un ordinateur sur lequel iTunes est lancé pour procéder à son activation. Consultez la section « Activer l'iPhone sans connexion Internet » pour plus d'informations.

# Télécharger et installer iTunes

Le téléchargement et l'installation d'iTunes sont à la fois rapides et simples. Bien entendu, le logiciel est gratuit ! Pour télécharger et installer gratuitement la dernière version d'iTunes :

❶ Sur votre ordinateur, avec votre navigateur Internet habituel, rendez-vous sur le site d'Apple, rubrique iTunes :

`http://www.apple.com/fr/itunes/download/`

❷ Sélectionnez la version du logiciel correspondant à votre système (selon votre version de Windows ou Mac), saisissez votre adresse de courriel, puis cliquez sur **Télécharger**.

❸ Laissez-vous guider et suivez les étapes simples de l'installation.

### Télécharger iTunes

iTunes 10.7 pour Windows (64-bit)

☑ Je souhaite recevoir par e-mail À la une Sur iTunes et les autres offres spéciales iTunes.

☑ Tenez-moi informé de l'actualité Apple, des mises à jour logicielles et des toutes dernières informations sur les produits et les services disponibles.

Politique de confidentialité Apple

**Adresse e-mail**

Télécharger ○

❹ À la fin, le programme vous propose de lancer iTunes immédiatement. Cliquez sur **Terminer**.

❺ Une fois le contrat de licence accepté par vos soins, iTunes se lance.

# Créer un compte utilisateur iTunes ou identifiant Apple

Une fois iTunes installé sur votre ordinateur, l'étape suivante consiste à créer un *compte utilisateur*. iTunes peut fonctionner sans compte utilisateur associé, mais pour bon nombre d'opérations, la création d'un compte est indispensable. La création d'un compte est elle aussi gratuite et ne vous engage à rien. Tout ce dont vous avez besoin est d'une adresse e-mail et d'une carte bancaire.

On parle de compte utilisateur iTunes, mais aussi d'identifiant Apple : cet identifiant vous servira à accéder à l'iTunes Store, à l'App Store, mais aussi à paramétrer et sauvegarder votre iPhone.

❶ Cliquez sur **Ouvrir une session** en haut à droite de la fenêtre iTunes.

❷ Cliquez sur **Créer un identifiant Apple**.

❸ Suivez ensuite les étapes de création d'un compte et remplissez les formulaires d'inscription. Cliquez sur le bouton **Continuer**.

> **NOTE** Attention : pour créer un compte utilisateur iTunes, vous *devez* indiquer un moyen de paiement (numéro de carte bancaire). Les contenus payants téléchargés vous seront immédiatement facturés par ce biais. Bien sûr, si vous n'achetez aucun contenu (applications ou musiques), aucune somme ne sera débitée de votre compte.

# Bien choisir le mot de passe pour iTunes

La saisie de votre mot de passe iTunes vous sera fréquemment demandée, en particulier lorsque vous souhaiterez installer de nouvelles applications.

Si vous choisissez un mot de passe trop compliqué à saisir (avec plusieurs caractères spéciaux, par exemple), cela pourra vous exaspérer très rapidement.

Prenez donc soin de trouver un bon compromis entre sécurité (pas trop simple à deviner - n'oubliez pas qu'il permet d'acheter des applications et que votre

compte iTunes est directement associé à votre carte bancaire) et facilité de saisie sur le clavier de l'iPhone.

## Activer l'iPhone sans connexion Internet

Si vous n'avez accès à aucun réseau Wi-Fi lors du premier démarrage de l'iPhone, vous devrez procéder à l'activation de votre appareil par une autre méthode. Celle-ci consiste simplement à utiliser le logiciel iTunes.

❶ Dans l'écran de configuration proposant la connexion à un réseau Wi-Fi, touchez **Se connecter à iTunes**.

❷ Sur votre ordinateur, lancez le logiciel iTunes.

❸ À l'aide du câble de connexion de l'iPhone, branchez l'appareil à votre ordinateur, *via* la prise USB.

❹ C'est fait : l'iPhone est désormais activé !

 L'installation d'iTunes n'est plus un passage obligé pour les utilisateurs d'iPhone, mais est vivement recommandée. Consultez la section « Au sujet du logiciel iTunes », précédemment dans ce chapitre.

# Restaurer le contenu de votre ancien iPhone

Si vous étiez propriétaire d'une ancienne version de l'iPhone (4S, 4, 3G ou 3GS), vous souhaiterez probablement transférer toutes les données de votre ancien appareil vers l'iPhone 5.

❶ Si vous aviez choisi la sauvegarde sur iCloud, c'est simple : il suffit de choisir Restaurer à partir d'iCloud dans l'écran de configuration de l'iPhone 5, suite au premier démarrage.

❷ Sinon, vous pouvez utiliser iTunes, à condition d'avoir préparé l'opération en amont : connectez l'ancien iPhone à iTunes, puis dans la section **Appareil**, à gauche, cliquez sur **iPhone**.

❸ Cliquez sur **Sauvegarder**. Le contenu intégral de l'iPhone (données, documents et réglages) va être sauvegardé sur votre ordinateur. Cela peut prendre un certain temps.

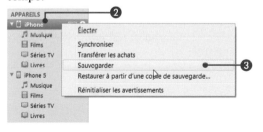

❹ À la fin de la sauvegarde, vous pouvez déconnecter et éteindre l'ancien iPhone, puis allumer votre iPhone 5. Au cours du processus d'initialisation choisissez **Restaurer à partir d'une sauvegarde iTunes**.

❺ Connectez alors l'iPhone 5 à l'ordinateur et suivez les étapes nécessaires à la restauration des données.

> **NOTE** Si vous avez manqué l'occasion de restaurer le contenu de votre ancien iPhone suite au premier démarrage de l'iPhone 5, pas de panique, vous pourrez toujours le faire ultérieurement. Connectez simplement l'iPhone à iTunes puis dans la section **Appareil**, à gauche, cliquez sur **iPhone**. Cliquez sur **Restaurer à partir d'une sauvegarde**.

# Personnaliser l'écran d'accueil

L'écran d'accueil est entièrement personnalisable : vous pouvez en effet agencer les icônes selon vos souhaits et choisir un fond d'écran.

## Agencer les icônes et créer des groupes

Organiser vos icônes – en particulier le dock de lancement rapide et la première page – vous fera gagner un temps précieux : vous accéderez ainsi facilement aux applications que vous utilisez le plus souvent.

❶ Touchez n'importe quelle icône sur l'écran d'accueil. Maintenez le doigt appuyé quelques secondes.

❷ Lorsque les icônes « remuent », vous pouvez les déplacer en les faisant glisser.

❸ Si vous faites glisser vers la droite au niveau de la dernière page, vous créez une nouvelle page. Vous pouvez ainsi créer jusqu'à onze pages.

❹ Pour créer un groupe, faites simplement glisser une icône sur une autre. Un cadre vous indique la création du groupe et les icônes en faisant partie s'affichent en miniature à l'intérieur.

❺ Pour renommer le groupe d'icônes, touchez la zone affichant le nom et saisissez le nouveau nom.

❻ Faites glisser des icônes dans un groupe existant pour le compléter ou déplacez un groupe entier vers un nouvel emplacement.

❼ Lorsque vous avez terminé, appuyez sur le bouton **Accueil**. Les icônes se figent et ne peuvent plus être déplacées. La nouvelle configuration est automatiquement enregistrée.

## Qu'est-ce que le dock de lancement rapide ?

❶ La zone spéciale et grisée en bas d'écran s'appelle le « dock de lancement rapide ». Les icônes placées ici sont accessibles sur toutes les pages d'icônes de l'iPhone : c'est donc un emplacement de choix pour vos quatre applications préférées.

❷ Vous pouvez placer n'importe quelle application dans le dock de lancement rapide pour un accès direct. Vous devez néanmoins au préalable libérer une place sur les quatre disponibles dans le dock : faites simplement glisser l'icône à sortir du dock vers la zone des icônes.

❸ Faites ensuite glisser l'icône souhaitée depuis la zone centrale vers le dock.

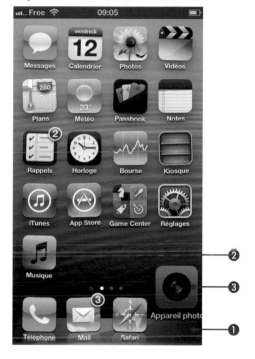

## Supprimer des applications

Vous pouvez supprimer une icône de l'écran de votre iPhone, et ainsi effacer l'application associée. Vous pouvez effacer n'importe quelle application téléchargée, mais aucune des applications de base.

❶ Touchez n'importe quelle icône sur l'écran d'accueil. Maintenez le doigt appuyé quelques secondes.

❷ Lorsque les icônes remuent, une croix apparaît dans le coin supérieur droit des icônes des applications concernées.

❸ Touchez la croix puis confirmez la suppression pour effacer l'icône.

>  Le logiciel iTunes permet d'organiser vos applications depuis un ordinateur : dans l'onglet **Applications**, à droite de l'écran, apparaissent des copies de vos écrans d'icônes. Pour déplacer une icône, faites-la glisser.

## Changer de fond d'écran

Vous disposez de plusieurs options pour changer de fond d'écran : utiliser une photo personnelle ou une image fournie par Apple.

❶ Pour utiliser l'une de vos photos (prises à l'aide de l'appareil photo de l'iPhone), touchez l'icône **Photos** sur l'écran d'accueil.

❷ Touchez la photo choisie, puis touchez l'écran pour voir les commandes.

❸ Touchez 🖪.

❹ Touchez **Utiliser en fond d'écran**.

**⑤** Repositionnez et recadrez éventuellement la photo.

**⑥** Touchez **Définir**.

**⑦** Il y a deux fonds d'écran différents sur l'iPhone : le fond de l'écran verrouillé (qui s'affiche lorsque l'iPhone est en veille) et le fond d'écran d'accueil (qui apparaît derrière les icônes). Vous pouvez choisir des images différentes ou une seule photo identique pour les deux. Touchez l'option de votre choix.

**⑧** Appuyez sur le bouton **Accueil** pour voir le fond de l'écran d'accueil.

**⑨** Appuyez sur le bouton de démarrage pour voir le fond de l'écran verrouillé.

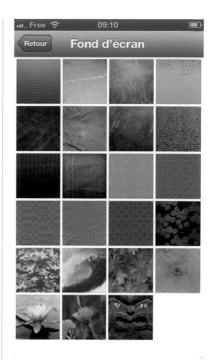

**10** Vous pouvez aussi utiliser un des fonds d'écran prédéfinis, offerts avec votre iPhone : touchez **Réglages ▶ Fond d'écran**.

**11** Touchez une vignette pour appliquer le fond d'écran de votre choix.

# Protéger l'iPhone par mot de passe

En plus du code PIN, qui protège les fonctions liées à la carte SIM et donc à la téléphonie, vous pouvez ajouter un niveau de sécurité supplémentaire en protégeant votre iPhone par mot de passe. Il est vrai que le code PIN protège uniquement les données liées à la téléphonie sur votre iPhone (ce qui exclut la messagerie, les photos, la musique, les notes, *etc.*)

Pour utiliser un mot de passe, appelé « code de verrouillage » sur l'iPhone :

**1** Touchez **Réglages ▶ Général ▶ Verrouillage par code**.

❷ Touchez **Activer le code**.

❸ À l'aide du clavier numérique, saisissez votre code secret à quatre chiffres, deux fois de suite. Le code est immédiatement activé.

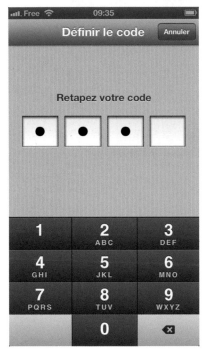

❹ Avant de quitter les réglages, touchez **Exiger le code** pour choisir un délai avant la demande de saisie du mot de passe : immédiatement (à chaque déverrouillage de l'iPhone), ou après 1, 5, 15 minutes, 1 heure ou 4 heures. Ces options peuvent être utiles pour éviter les indiscrétions sans avoir à saisir votre mot de passe à tout bout de champ.

❺ Si vous préférez utiliser un mot ou toute une série de caractères au lieu d'un code

à quatre chiffres, désactivez l'option **Code simple**. Vous pourrez alors saisir un mot de passe contenant des lettres et/ou des chiffres.

❻ Touchez le curseur **Siri** pour autoriser ou non l'accès au contrôle vocal (consultez le chapitre 13 pour plus d'informations) lorsque l'iPhone est verrouillé par code. Il est plutôt logique et préférable de *ne pas* autoriser Siri lorsque l'iPhone est verrouillé.

❼ Touchez le curseur **Passbook** pour autoriser ou non l'accès à l'application Passbook (consultez le chapitre 13 pour plus d'informations) lorsque l'iPhone est verrouillé par code.

❽ Touchez le curseur **Répondre par message** pour autoriser ou non l'utilisation de la fonction de réponse à un appel téléphonique décliné par message (consultez le chapitre 3 pour plus d'informations) lorsque l'iPhone est verrouillé par code.

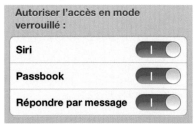

❾ Enfin, si votre iPhone contient des données très confidentielles, vous pouvez envisager l'option **Effacer les données** : au bout de dix essais infructueux de saisie du code, toutes les données de votre iPhone seront automatiquement effacées.

**10** Appuyez sur le bouton **Accueil** pour quitter les réglages. Dès lors, le code choisi précédemment vous sera demandé systématiquement pour déverrouiller l'iPhone (ou selon le délai choisi dans les réglages), mais aussi pour accéder aux réglages concernant le code lui-même.

**11** Vous pouvez désactiver la protection par code ou modifier le mot de passe à tout moment en revenant aux réglages. Touchez **Réglages ▶ Verrouillage par code**, puis **Désactiver le code** ou **Changer le code**.

 Pour aller encore plus loin dans la protection de votre iPhone, installez l'application Localiser mon iPhone, qui permet non seulement de géolocaliser un iPhone, mais aussi en cas de perte ou de vol, de mettre en place une protection par mot de passe à distance et même d'effacer le contenu de l'appareil. Consultez le chapitre 13 pour plus d'informations à ce sujet.

# Mettre à jour l'iPhone

Le système d'exploitation de votre iPhone est régulièrement amélioré par Apple. Les applications elles aussi sont mises à jour par leurs concepteurs.

## Mettre le système à jour

Pour bénéficier des évolutions proposées, qui peuvent toucher le fonctionnement général de l'iPhone comme les applications de base, vous devez installer les mises à jour lorsqu'elles sont disponibles.

**1** La mise à jour du système d'exploitation est très simple, car elle s'effectue directement depuis l'iPhone. Lorsqu'une mise à jour est disponible, une pastille s'affiche sur l'icône **Réglages**.

**2** Touchez **Réglages** : un message vous invite à installer la mise à jour logicielle.

**3** Touchez **Installer** et patientez pendant le téléchargement de la mise à jour. L'iPhone n'est pas utilisable pendant cette durée qui peut aller de quelques minutes à un temps beaucoup plus long, selon l'importance de la mise à jour et la vitesse de votre connexion Internet.

**4** À la fin, l'iPhone redémarre.

**❺** Pour vérifier si votre iPhone est à jour, touchez **Réglages** ▸ **Général** ▸ **Mise à jour logicielle**.

 Pour restaurer les réglages d'origine de l'iPhone et effacer tout son contenu, vous pouvez procéder à une réinitialisation. Touchez **Réglages** ▸ **Général** ▸ **Réinitialiser**. Pour réinitialiser la totalité des préférences et des réglages, sans supprimer les informations (contacts, éléments multimédias, etc.), touchez Réinitialiser tous les réglages. Pour réinitialiser tous les réglages et effacer tout le contenu, touchez Effacer contenu et réglages. Attention : cette option supprime toutes les informations et données multimédias de votre iPhone. Pour cette opération, votre iPhone doit être branché à l'aide du câble d'alimentation.

## Télécharger les mises à jour d'applications

**❶** Lorsque la mise à jour d'une ou plusieurs applications est disponible, une pastille rouge apparaît sur l'icône **App Store**. Elle indique le nombre de mises à jour disponibles.

**❷** Pour installer les mises à jour disponibles, touchez l'icône **App Store** puis le bouton **Mises à jour**.

**❸** Les applications bénéficiant d'une mise à jour à télécharger s'affichent. Touchez **Tout mettre à jour** pour installer toutes les mises à jour.

**❹** Patientez. Les mises à jour sont installées.

Les applications évoluent et sont souvent mises à jour par leurs concepteurs. Les mises à jour sont généralement gratuites, que l'application soit au départ elle-même gratuite ou non.

# Sauvegarder l'iPhone

Il existe plusieurs manières de sauvegarder le contenu de l'iPhone. Il est essentiel de le faire, car vous pourrez ainsi restaurer à l'identique vos données en cas de perte ou de changement d'appareil.

Si vous avez déjà effectué une synchronisation avec iTunes, sans le savoir, vous avez aussi sauvegardé le contenu de votre iPhone.

iTunes procède en effet automatiquement à une sauvegarde de l'iPhone avant chaque synchronisation.

## Lancer une sauvegarde manuelle de l'iPhone

❶ Lancez iTunes et connectez l'iPhone à votre ordinateur à l'aide du câble fourni.

❷ Cliquez avec le bouton droit sur **iPhone**, à gauche.

❸ Cliquez sur **Sauvegarder**.

❹ Patientez pendant la sauvegarde de tout le contenu de l'iPhone : contacts, comptes de messagerie, photos, fichiers multimédias, *etc.*

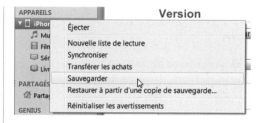

## Activer la sauvegarde par le Wi-Fi

❶ Connectez l'iPhone à l'ordinateur à l'aide du câble USB.

❷ Cliquez sur **iPhone** dans la barre de gauche.

❸ Dans l'onglet **Résumé**, activez l'option **Synchroniser avec cet iPhone en Wi-Fi**.

❹ Cliquez sur **Appliquer**.

❺ La synchronisation a lieu lorsque l'ordinateur et l'iPhone sont connectés sur le même réseau Wi-Fi. iTunes procède alors automatiquement à une sauvegarde, sans qu'il soit nécessaire de connecter l'iPhone à l'ordinateur par le câble USB.

 Pour restaurer l'iPhone à partir d'une sauvegarde, lancez iTunes et connectez l'iPhone à votre ordinateur à l'aide du câble fourni. Cliquez avec le bouton droit sur iPhone puis sur **Restaurer à partir d'une copie de sauvegarde**.

# Chapitre 3

# Utiliser l'iPhone
# pour téléphoner

L'iPhone est avant tout un téléphone, bien entendu. Dans ce chapitre, vous retrouverez toutes les fonctions liées à la téléphonie, y compris l'appel vidéo, une spécificité de l'iPhone. Vous apprendrez à bien utiliser le carnet d'adresses. Vous verrez également comment gérer les doubles appels et consulter les communications manquées ou vos messages. Vous saurez aussi comment masquer votre numéro de téléphone ou désactiver temporairement le téléphone.

## Passer un appel

L'accès aux différentes fonctions permettant de téléphoner se fait par le biais de **Téléphone**.

❶ Touchez l'icône **Téléphone** puis le bouton **Clavier**.

❷ Touchez successivement chacun des chiffres du clavier composant le numéro à appeler.

❸ En cas d'erreur, touchez **Retour** pour effacer le dernier chiffre saisi.

❹ Une fois le numéro saisi, touchez le bouton **Appel**.

>  Vous pouvez aussi utiliser **Siri**, le contrôle vocal, pour appeler un contact : appuyez longuement sur le bouton accueil. Prononcez « appeler » suivi du nom de votre contact ou « composer » suivi d'un numéro.

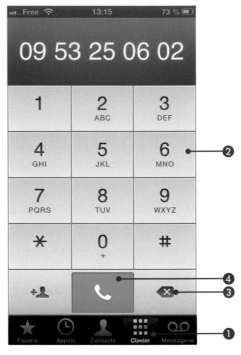

❺ Le numéro est composé et l'appel lancé : il suffit désormais que votre correspondant réponde.

## Recevoir un appel

❶ Si votre iPhone est en veille, le numéro de l'appelant s'affiche à l'écran.

❷ Faites glisser le curseur **Répondre** vers la droite pour déverrouiller l'iPhone et prendre l'appel en un seul mouvement.

❸ Si votre iPhone est déverrouillé, le numéro de l'appelant s'affiche à l'écran. Touchez **Répondre** pour décrocher. Touchez **Refuser** pour rejeter l'appel.

**NOTE** Si vous avez enregistré le numéro dans vos contacts, c'est son nom qui apparaît en lieu et place du numéro. Si vous avez choisi une photo pour le contact, elle s'affiche aussi.

# Comment rejeter un appel entrant ou couper la sonnerie ?

**❶** Pour couper la sonnerie lorsque vous recevez un appel, appuyez sur le bouton de démarrage ou sur l'un des boutons de volume.

**❷** Appuyez rapidement deux fois de suite sur le bouton de démarrage pour envoyer directement l'appelant sur la messagerie vocale et rejeter l'appel.

 **NOTE** Depuis la dernière mise à jour d'iOS, peut-être avez-vous remarqué le bouton visible à droite du curseur **Répondre** ? Ce nouveau contrôle permet de répondre par message tout en déclinant l'appel ou de programmer un rappel. Consultez la section qui suit pour plus d'informations.

# Décliner l'appel et répondre immédiatement par SMS

Deux nouveaux outils de l'iPhone 5 complètent l'application **Téléphone** de manière astucieuse. Elles permettent de répondre immédiatement par SMS ou de créer un pense-bête pour rappeler plus tard lorsque vous ne pouvez pas prendre un appel entrant. Voici d'abord comment envoyer un message.

❶ Au moment de la réception d'un appel, que votre iPhone soit verrouillé ou non, touchez et faites glisser le bouton ⬆ vers le haut.

❷ Touchez **Répondre par un message** pour rejeter l'appel et envoyer un SMS au contact appelant.

❸ Choisissez l'un des messages prédéfinis : « Je te rappelle », « J'arrive » ou « Ça va ? » ou touchez **Personnalisé** pour créer votre propre message.

❹ L'appel est décliné et votre message envoyé immédiatement au contact émetteur de l'appel. Lancez l'application **Messages** pour éventuellement voir le message envoyé.

---

Lorsque vous répondez par un message, si votre contact reçoit les iMessages, c'est ce mode qui est utilisé (l'envoi est effectué par Internet). À défaut, c'est un message traditionnel (SMS) qui est envoyé, au tarif facturé habituellement par votre opérateur. Consultez le chapitre 6 pour plus d'informations sur les messages et le mode iMessage.

# Décliner l'appel et créer un rappel

Plutôt que d'envoyer un message, vous pouvez aussi créer un rappel à votre propre intention, pour ne pas oublier de recontacter un correspondant après avoir décliné son appel. Voici comment procéder.

❶ Au moment de la réception d'un appel, que votre iPhone soit verrouillé ou non, touchez et faites glisser le bouton ⬛ vers le haut.

❷ Touchez **Me le rappeler plus tard** pour rejeter l'appel et créer un rappel.

❸ Choisissez de créer un rappel avec une alerte programmée dans un délai d'une heure lorsque vous quitterez le lieu où vous vous trouvez actuellement, en touchant l'option correspondante.

❹ Lancez éventuellement l'application **Rappels** pour voir le pense-bête créé. Vous pouvez éventuellement modifier les paramètres du rappel : libellé, échéance ou lieu.

**❺** Au moment ou au lieu choisi, un rappel s'affichera sur l'écran de votre iPhone.

 Le rappel créé par **Téléphone** se présente sous la forme d'une fenêtre spéciale vous permettant de rappeler directement le contact : touchez le bouton **Appeler** pour lancer l'appel. Consultez le chapitre 13 pour plus d'informations sur **Rappels**.

# Choisir une sonnerie et une vibration personnalisées

Choisir votre sonnerie personnalisée est une opération classique avec un téléphone mobile. Mais saviez-vous qu'avec l'iPhone 5, vous pouvez aussi choisir votre vibration et même créer votre propre rythme personnalisé pour celle-ci ?

**❶** Pour changer les réglages relatifs aux différentes sonneries de l'iPhone, touchez **Réglages ▶ Sons**.

**❷** Pour activer le vibreur à la réception d'un appel en mode silencieux, touchez le curseur **En mode silencieux** dans la section **Vibreur**.

**❸** Pour activer le vibreur à la réception d'un appel *lorsque l'iPhone n'est pas en mode silencieux*, en plus de la sonnerie, touchez le curseur **Avec la sonnerie** dans la section **Vibreur**.

**④** Pour modifier le volume de la sonnerie par défaut, faites glisser le curseur de la section **Sonnerie et alertes**.

**⑤** L'option **Utiliser les boutons** permet de dissocier le réglage du volume de la sonnerie et le niveau sonore général de l'iPhone (utilisé pour la musique, les vidéos, *etc.*). Si vous la désactivez, les boutons de réglage du volume n'agiront plus que sur le niveau sonore de l'iPhone (musique, vidéos, jeux, *etc.*) et non sur la sonnerie et les alertes.

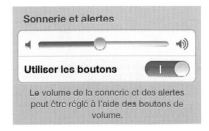

**⑥** Touchez **Sonnerie** pour changer de sonnerie ou de vibration par défaut.

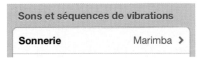

**⑦** La liste des sonneries disponibles s'affiche. Touchez-en une pour l'écouter. Pour la sélectionner et revenir au menu précédent, touchez **Sons** en haut de l'écran.

**⑧** Touchez **Vibration** pour choisir une vibration.

**⑨** La liste des vibrations disponibles s'affiche. Touchez-en une pour l'essayer. Pour la sélectionner et revenir au menu précédent, touchez **Sonnerie** en haut de l'écran.

**⑪** L'iTunes Store s'ouvre sur une section spéciale de la boutique consacrée aux sonneries. Vous y trouverez des sonneries pour l'iPhone adaptées des succès musicaux du moment. Touchez le bouton indiquant le prix d'une sonnerie pour l'acheter et la télécharger.

**⑩** Pour acheter des sonneries supplémentaires dans l'iTunes Store, touchez **Store** en haut de l'écran **Sonnerie**.

# Créer une vibration personnalisée

Si les différentes vibrations proposées par défaut par l'iPhone 5 ne vous convenaient pas, vous pouvez créer votre propre vibration personnalisée. C'est aussi simple et ludique.

**❶** Touchez **Réglages ▶ Sons ▶ Sonnerie ▶ Vibration**.

**❷** Touchez **Créer une vibration**.

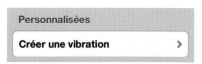

**❸** Créez votre vibration personnalisée en touchant l'écran : la durée de chaque appui sur l'écran définit le rythme, à la manière d'un message en morse.

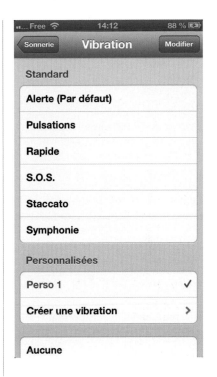

❹ Touchez **Arrêter** pour stopper l'enregistrement.

❺ Touchez **Lire** pour tester votre vibration. Si celle-ci vous convient, touchez **Enregistrer** en haut d'écran et donnez un nom à votre vibration personnalisée.

❻ Touchez le nom d'une vibration personnalisée pour la sélectionner en tant que vibration par défaut.

 Il est possible de personnaliser la sonnerie et la vibration pour chacun de vos contacts. Consultez les sections de ce chapitre consacrées au carnet d'adresses pour plus d'informations. La sonnerie par défaut s'applique à tous les autres contacts, aux numéros non enregistrés dans le carnet d'adresses et aux numéros masqués.

# Bien utiliser les options disponibles en cours d'appel

Lorsqu'un appel est en cours, plusieurs options s'affichent à l'écran.

❶ Touchez le bouton **silence** pour couper le micro : vous pourrez toujours entendre votre correspondant, mais lui ne vous entendra plus.

❷ Touchez **clavier** si vous avez besoin de saisir des chiffres.

❸ Touchez le bouton **haut-parleur** pour activer le haut-parleur.

❹ Touchez **nouvel appel** pour composer un deuxième numéro et passer en mode « double appel ».

❺ Touchez **FaceTime** pour passer en mode « visioconférence ».

**6** Touchez **contacts** pour accéder à votre carnet d'adresses au cours de l'appel.

**7** Touchez **Terminer** pour mettre fin à l'appel en cours.

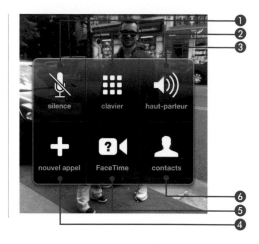

**NOTE** Le bouton **FaceTime** est disponible uniquement si votre correspondant est aussi équipé d'un appareil compatible (iPhone, iPod touch, iPad, Mac) et se trouve dans les conditions nécessaires à la visioconférence (connecté en Wi-Fi).

## Comment passer un double appel ?

Lorsque vous appelez un correspondant, vous pouvez initier une deuxième communication.

**1** Touchez ➕ puis composez le numéro du deuxième correspondant (*via* le bouton **Clavier**) ou choisissez un contact dans votre carnet d'adresses.

**2** Si le deuxième correspondant décroche, le premier est automatiquement placé en attente et l'écran de gestion du double appel s'affiche.

**3** Touchez **permuter** pour revenir au premier appel.

**4** Touchez **Terminer** pour mettre fin à la communication active.

 **NOTE** Au cours d'un double appel, touchez ⬆ pour passer en conférence (cette option doit être autorisée par votre opérateur). Tous les correspondants sont alors connectés et peuvent communiquer.

# Que se passe-t-il si vous recevez un deuxième appel au cours d'une communication ?

Lorsque vous êtes déjà en communication et que vous recevez un nouvel appel, un signal sonore vous avertit (vous seul l'entendez). Un écran spécial apparaît et trois options s'offrent à vous :

**1** Pour ignorer le nouvel appel et le transférer vers la messagerie vocale, touchez **Ignorer**.

**2** Pour terminer le premier appel et répondre au nouvel appel, touchez **Raccr. et répondre**.

**3** Pour mettre le premier appel en attente et répondre au nouvel appel, touchez **Suspendre et répondre**. Vous passez en mode « double appel » : touchez **permuter** pour revenir au premier appel et touchez **Terminer** pour mettre fin à la communication active.

**4** Pour rejeter l'appel entrant et envoyer un message ou créer un rappel, touchez le bouton ▣.

# Téléphoner avec l'image grâce à FaceTime

**FaceTime** est le nom de la fonction de visioconférence ou appel vidéo de l'iPhone.

**1** Pour utiliser **FaceTime**, votre correspondant doit utiliser un iPhone 5, 4 ou 4S, un iPad 2, un iPod touch de 4ᵉ génération ou un Mac. Les deux participants doivent aussi être connectés à Internet, en Wi-Fi ou par le réseau cellulaire (3G).

**2** Commencez par appeler votre contact « normalement », par téléphone.

**3** Une fois la conversation démarrée, touchez ▣.

**4** Dès que votre contact accepte la communication, la visioconférence débute.

**5** Une fois l'appel établi, l'image de votre correspondant occupe l'écran. Une vignette affiche votre propre image, celle que votre interlocuteur voit en grand sur son écran.

**❻** Touchez **Terminer** pour mettre fin à la conversation vidéo.

**❼** Lorsque vous recevez un appel FaceTime, les options sont les mêmes que pour un appel téléphonique classique : vous pouvez refuser ou accepter l'invitation FaceTime. Le bouton ▣ permet d'envoyer un message ou de créer un rappel tout en déclinant l'appel.

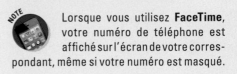
Lorsque vous utilisez **FaceTime**, votre numéro de téléphone est affiché sur l'écran de votre correspondant, même si votre numéro est masqué.

# Gérer votre carnet d'adresses avec Contacts

Utilisez l'application **Contacts** pour créer et gérer votre carnet d'adresses. L'iPhone fera appel à votre liste de contacts dans Téléphone, mais aussi dans plusieurs autres applications : **Messages**, **Mail** ou encore **Plans**.

**❶** Touchez l'icône **Contacts** ou le bouton **Contacts** dans l'application **Téléphone**.

**❷** Touchez le bouton ➕.

**❸** Remplissez la fiche contact. Indiquez le nom et le prénom du contact, ainsi qu'un ou plusieurs numéros de téléphone.

**❹** Vous pouvez renseigner les autres champs : il suffit de toucher un champ pour pouvoir l'éditer.

❺ Touchez **ajouter une photo**, puis **Prendre une photo** (pour lancer l'appareil photo et prendre la photo immédiatement) ou **Choisir une photo** (pour sélectionner une photo dans votre bibliothèque). Lors des appels avec ce contact, la photo s'affichera en fond d'écran.

❻ Pour attribuer une sonnerie personnalisée au contact, touchez **sonnerie** et choisissez-en une dans la liste. Pour attribuer une vibration personnalisée signalant l'appel, touchez **vibration** et choisissez-en une dans la liste.

❼ Touchez **son SMS** pour attribuer une sonnerie personnalisée pour la réception des messages de ce contact. Pour attribuer une vibration personnalisée signalant la réception d'un message, touchez **vibration** et choisissez-en une dans la liste.

❽ Une fois la fiche complétée, touchez **OK**.

❾ Vous pouvez ajouter le contact immédiatement à votre liste de favoris : touchez le bouton **Ajouter aux favoris** dans la fiche contact enregistrée. Consultez la section qui suit pour plus d'informations sur les favoris.

 Si vous disposez d'un profil Facebook et installez l'application du même nom sur votre iPhone, votre liste d'amis et l'application **Contacts** seront automatiquement fusionnées. Consultez le chapitre 7 pour plus d'informations sur l'application Facebook.

# Afficher et utiliser le carnet d'adresses

❶ Pour afficher votre carnet d'adresses, touchez le bouton **Contacts** en bas de l'écran **Téléphone** ou l'icône **Contacts** sur l'écran d'accueil.

❷ Pour appeler un contact, naviguez dans la liste et touchez le nom du contact.

❸ Touchez le numéro de téléphone à composer pour lancer l'appel.

Si vous avez beaucoup de contacts, utilisez l'accès rapide sur le bord droit de l'écran : touchez une lettre de l'alphabet. Vous pouvez aussi utiliser la recherche tout en haut de l'écran (touchez la barre d'état si le champ n'est pas visible).

# Exploiter la liste des favoris

La liste des favoris est très pratique, car elle permet d'appeler vos contacts préférés encore plus rapidement. Elle est aussi utile en conjonction avec le mode **Ne pas déranger**.

❶ Pour ajouter un contact à cette liste, touchez **Téléphone ▶ Favoris**.

❷ Touchez le bouton +.

❸ Touchez le nom du contact dans la liste.

❹ Si le contact a plusieurs numéros, choisissez celui à ajouter à la liste puis indiquez le cas échéant si vous souhaitez l'ajouter pour l'appel vocal ou FaceTime.

❺ Le contact est ajouté à la liste des favoris. La liste des favoris contient des numéros et non des contacts. Vous pouvez donc ajouter plusieurs numéros différents (iPhone, mobile, domicile, bureau, *etc.*) pour un même contact à cette liste.

 **❻** Dès lors, touchez simplement **Favoris** puis le nom du contact pour l'appeler.

>  Lorsque vous activez le mode **Ne pas déranger**, les appels reçus par les contacts enregistrés dans la liste des **Favoris** peuvent être autorisés. Consultez le chapitre 1 pour plus d'informations sur le mode **Ne pas déranger**.

# Comment supprimer un contact ?

**❶** Affichez la fiche détaillée du contact dans le carnet d'adresses.

**❷** Touchez le bouton **Modifier**.

**❸** Tout en bas d'écran, touchez le bouton **Supprimer le contact**.

>  Pour supprimer des éléments de la liste des favoris (sans pour autant supprimer le contact du carnet d'adresses), affichez la liste et touchez **Modifier**. Vous pouvez aussi réorganiser l'ordre des favoris.

## *Partager un contact*

Vous pouvez partager une fiche contact par e-mail ou message. Celle-ci inclut le nom, les coordonnées et la photo du contact.

**❶** Touchez **Contacts** puis le nom du contact pour afficher sa fiche.

**❷** Touchez **Envoyer cette fiche**.

**❸** Touchez **Courrier électronique** pour partager le contact par e-mail ou **Messages** pour l'envoyer par MMS.

**❹** Indiquez le destinataire et touchez **Envoyer**.

 Le format utilisé par l'iPhone est vCard. Ce standard est utilisé par la majorité des appareils mobiles (téléphones mobiles, assistants personnels, GPS) pour échanger des éléments de carnet d'adresses, mais aussi par des logiciels de messagerie comme Outlook et des logiciels de messagerie instantanée comme Skype. Vous pouvez donc envoyer sans crainte d'incompatibilité des fiches contact, y compris à des correspondants n'utilisant pas un iPhone.

## *Que se passe-t-il en cas d'appel manqué ?*

Lorsque vous ne prenez pas un appel, votre correspondant bascule sur la messagerie vocale. L'iPhone vous indiquera alors que vous avez manqué un ou plusieurs appels et la présence éventuelle de messages à écouter :

**❶** Si votre iPhone était en veille au moment de l'appel, une notification s'affiche sur l'écran d'accueil pour vous avertir.

**❷** Si vous avez déverrouillé l'iPhone entre-temps ou s'il y a eu plusieurs appels en absence, la liste est consultable *via* le **Centre de notifications** : touchez la barre

d'état et faites glisser vers le bas pour l'afficher.

**❸** Enfin, une pastille rouge sur l'icône **Téléphone** indique le nombre total d'éléments à consulter (nombre d'appels manqués et nombre de messages à écouter).

La pastille disparaîtra dès que la liste des appels manqués et messages aura été affichée. Vous pouvez choisir précisément la manière dont les appels manqués et les messages sont notifiés en personnalisant les notifications.

# Afficher la liste des appels manqués

❶ Touchez l'icône **Téléphone**.

❷ Touchez le bouton **Appels**.

❸ Les appels manqués sont signalés en rouge (le nombre d'appels manqués successifs apparaît entre parenthèses après le numéro ou le nom du correspondant).

❹ Touchez la flèche bleue à droite d'un appel pour afficher les détails.

❺ Si votre correspondant a laissé un message sur votre messagerie vocale, touchez le bouton **Messagerie**.

❻ La liste de vos messages s'affiche. La messagerie est visuelle : chaque message peut être écouté individuellement et vous voyez immédiatement le nom ou le numéro du correspondant ainsi que l'heure ou le jour d'appel.

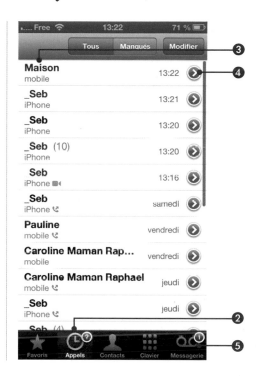

**❼** Pour écouter un message, touchez-le. La lecture du message démarre immédiatement. Vous pouvez faire glisser le curseur pour avancer dans le message ou revenir en arrière.

**❽** Une fois le message écouté, touchez **Supprimer** pour l'effacer. À défaut, il restera disponible jusqu'à ce que votre opérateur l'efface automatiquement.

**❾** Pour rappeler rapidement un correspondant ayant laissé un message, touchez **Appeler**.

 Certains opérateurs ne proposent pas la messagerie visuelle. Une pastille sans chiffre indique la présence de messages et leur accès se fait par appel à la messagerie. Pour les utilisateurs de Free, la messagerie vocale doit être activée dans les paramètres du compte *via* l'interface Web de Free Mobile.

# *Enregistrer une nouvelle annonce d'accueil*

Enregistrer une nouvelle annonce personnalisée pour votre messagerie ne prend que quelques secondes.

**❶** Touchez **Messagerie ▶ Annonce ▶ Personnalisée**.

**❷** Touchez **Enregistrer**. L'enregistrement du message démarre immédiatement.

**❸** Lorsque vous avez terminé, touchez **Arrêter**.

**❹** Pour réécouter l'annonce, touchez **Écouter**.

**❺** Si l'annonce vous convient, touchez **Valider** en haut de l'écran. Sinon, recommencez !

**❻** Pour utiliser l'annonce d'accueil standard de votre opérateur, touchez **Par défaut**.

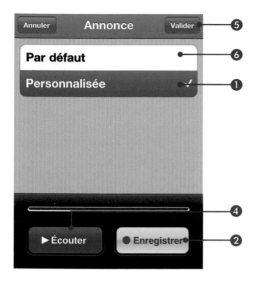

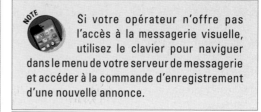

# Masquer votre numéro

Vous pouvez masquer votre numéro sur l'écran de vos correspondants, le temps d'un appel ou de manière permanente.

① Pour masquer votre numéro temporairement, saisissez le code **#31#** suivi du numéro d'appel.

**#31#0611495285**

② Pour masquer votre numéro de manière permanente, touchez **Réglages** ▶ **Téléphone** ▶ **Afficher mon numéro**.

③ Désactivez l'option **Afficher mon numéro** en touchant le curseur.

④ En cas de doute sur votre propre numéro de téléphone, vous pouvez le voir affiché ici, en haut d'écran.

# Désactiver le téléphone

Il est possible de couper temporairement
toutes les fonctions de téléphonie de votre
iPhone (à l'étranger, par exemple).

❶ Touchez **Réglages** ▸ **Général** ▸ **Réseau
cellulaire**.

❷ Désactivez l'option **Données cellulaires**.

 Le numéro IMEI est un numéro qui
permet d'identifier de manière
unique tout appareil mobile. Il est
utile en cas de vol ou perte de l'iPhone. Touchez **Réglages** ▸ **Général** ▸ **Informations** pour
afficher le numéro IMEI de votre iPhone ou
composez le code **\*#06#**.

# Chapitre 4

# Explorer le Web

Dans ce chapitre, vous saurez tout sur **Safari**, le navigateur Web de l'iPhone. Vous apprendrez bien sûr à afficher une page Web ou à effectuer une recherche sur Google, mais vous découvrirez aussi de nombreuses astuces de navigation. Vous verrez par exemple comment ouvrir plusieurs pages, exploiter les signets, utiliser la liste de lecture ou encore partager une page Web.

# Afficher une page Web

La navigation sur Internet se fait *via* l'application **Safari**. La manière la plus simple et la plus rapide d'accéder à un site Web est d'afficher sa page d'accueil.

❶ Touchez la barre d'adresse tout en haut de la page. Si elle n'est pas visible, touchez la barre d'état en haut de l'écran.

❷ Utilisez le clavier pour saisir l'adresse complète (sans « http:// », mais avec les éventuels « www ») du site Web à afficher.

❸ Une fois l'adresse complète saisie, touchez **Accéder**.

❹ Patientez pendant le chargement de la page. La page Web s'affiche.

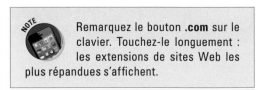
Remarquez le bouton **.com** sur le clavier. Touchez-le longuement : les extensions de sites Web les plus répandues s'affichent.

# Afficher une page Web en plein écran

Le mode plein écran, disponible uniquement en orientation paysage, permet d'afficher les pages dans toute la hauteur de l'écran, masquant les barres de menus et de pieds de page.

❶ Faites pivoter l'iPhone en orientation paysage.

❷ Touchez l'icône 🔲.

❸ La page s'affiche en plein écran.

❹ Touchez le bouton 🔲 pour revenir à l'affichage classique avec menus.

# Afficher une version optimisée pour la lecture de la page Web

**Safari** est capable d'afficher une version optimisée pour la lecture de certaines pages Web, mettant l'accent sur le texte de la page.

❶ Lorsque la page Web affichée est concernée, le bouton Lecteur apparaît dans la barre d'adresse.

❷ Touchez ce bouton pour afficher la page en **mode Lecteur**.

❸ Touchez **Terminé** pour quitter le **mode Lecteur**.

> **NOTE**
>
> Si des zones vides apparaissent de manière inattendue au sein d'une page Web, il s'agit vraisemblablement d'un module Flash, non lisible par **Safari**.

# Effectuer une recherche avec Google

La deuxième manière d'afficher un site Web est de passer par la recherche Google.

❶ Touchez la zone de recherche **Google** en haut de la page, à droite de la barre d'adresse.

❷ Saisissez les mots-clés correspondant à votre recherche.

❸ Touchez **Google**.

❹ La page de résultats de la recherche Google s'affiche.

❺ Touchez un lien (souligné en bleu) pour afficher le site correspondant.

> **NOTE**
> Vous pouvez changer de moteur par défaut et utiliser **Yahoo!** ou **Bing** à la place de **Google**. Pour cela, depuis l'écran d'accueil, touchez **Réglages ▶ Safari ▶ Moteur de recherche**.

# *Effectuer une recherche au sein d'une page Web*

Safari permet d'effectuer une recherche au sein même de la page Web affichée.

❶ Affichez la page Web.

❷ Saisissez les termes recherchés dans le champ **Google**.

❸ Si le mot est présent dans la page affichée, le nombre d'occurrences apparaît en bas de la zone de recherche. Touchez cette zone.

**④** Touchez la ligne **Rechercher** « **mot** ».

**⑤** Les occurrences du mot sont mises en valeur dans la page.

**⑥** Touchez les flèches pour naviguer d'occurrence en occurrence.

**⑦** Touchez **OK** pour revenir à l'affichage normal de la page.

---

# *Ouvrir une page dans une nouvelle fenêtre*

Pour ne pas perdre la page en cours et afficher un autre site, ouvrez une nouvelle fenêtre.

**❶** Touchez 🔲 dans la barre d'outils en bas de **Safari**.

❷ Touchez **Nouvelle page**. Une nouvelle fenêtre s'ouvre : vous pouvez y saisir une adresse de page Web ou une recherche Google.

❸ Touchez 🔲 pour afficher une autre fenêtre parmi celles ouvertes.

❹ Faites défiler vers la gauche ou vers la droite pour afficher les autres pages.

❺ Touchez la croix en haut à gauche d'une page pour fermer une fenêtre.

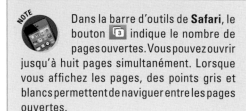

Dans la barre d'outils de **Safari**, le bouton 🔲 indique le nombre de pages ouvertes. Vous pouvez ouvrir jusqu'à huit pages simultanément. Lorsque vous affichez les pages, des points gris et blancs permettent de naviguer entre les pages ouvertes.

# Bien utiliser les signets

Dans **Safari**, vos sites préférés (parfois désignés sous le nom de « favoris » ou « marque-pages ») sont appelés « signets ». Voici comment les utiliser.

❶ Affichez une page Web.

❷ Touchez 🔗 dans la barre d'outils en bas de **Safari**.

❸ Touchez **Ajouter un signet**.

❹ Dans la fenêtre **Nouv. signet**, touchez éventuellement la première ligne pour modifier le titre du signet.

❺ Touchez **Signets** pour choisir un sous-dossier.

**⑥** Touchez **Enregistrer** pour sauvegarder le signet.

**⑦** Vous pouvez désormais accéder rapidement à cette page Web : dans n'importe quelle fenêtre **Safari**, touchez 📖.

**⑧** Touchez le signet. La page s'ouvre immédiatement dans **Safari**, remplaçant la page déjà affichée.

**⑨** Pour supprimer l'un des signets ou en modifier l'ordre, touchez le bouton **Modifier**.

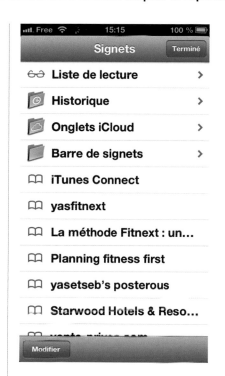

 L'option **Sur l'écran d'accueil** du menu 📤 permet de créer une icône sur l'écran d'accueil, qui, en un seul appui, ouvrira **Safari** et vous mènera directement vers la page Web choisie.

# Consulter l'historique

**Safari** enregistre aussi les sites précédemment visités et vous permet de les retrouver rapidement.

**①** Touchez 📖 dans la barre d'outils de **Safari**.

**②** Touchez **Historique**.

**③** Pour effacer l'historique, touchez **Effacer** en bas d'écran.

**NOTE** Pour effacer les cookies et les données de navigation, touchez **Réglages** sur l'écran d'accueil, puis **Safari ▸ Effacer cookies et données**. Activez l'option **Navigation** **privée** pour que **Safari** ne garde plus en mémoire les données et l'historique de navigation à l'avenir.

# Enregistrer une page Web pour la lire plus tard

La liste de lecture permet de « mettre des pages de côté » pour les lire plus tard. Les pages de cette liste sont entièrement enregistrées et disponibles hors connexion (autrement dit, elles sont accessibles même si vous n'avez pas de connexion Internet au moment de leur consultation).

❶ Pour ajouter une page Web à la liste de lecture, commencez par l'afficher dans **Safari**.

❷ Touchez ⬆ ▸ **Ajouter à la liste de lecture**.

❸ Une icône spéciale 👓 dans la barre de boutons en bas d'écran indique la progression du téléchargement de la page dans votre liste de lecture.

❹ La page est désormais accessible rapidement dans **Safari** : touchez 📖 ▸ **Liste de lecture**.

❺ Pour afficher uniquement les pages Web non lues de la liste, touchez **Non lu**.

❻ Touchez le nom de la page dans la liste de lecture.

❼ La page s'ouvre immédiatement dans **Safari**.

❽ Pour supprimer une page Web de la liste de lecture, faites glisser horizontalement son aperçu puis touchez **Supprimer**.

 Depuis la dernière mise à jour d'iOS et l'iPhone 5, une page enregistrée dans la liste de lecture est dès lors disponible hors connexion. Il ne s'agit plus d'une simple liste de pages Web à consulter.

# Qu'est-ce que la liste « onglets iCloud » ?

L'option **Onglets iCloud** tient un registre des pages que vous consultez sur vos appareils, pour que vous puissiez surfer sur un appareil, puis reprendre votre navigation sur un autre.

Touchez 📖 ▸ **Onglets iCloud** pour voir les pages récemment ouvertes sur vos appareils Apple.

# Partager ou imprimer une page Web

Vous pouvez partager l'adresse d'une page Web qui vous semble intéressante par e-mail, message, *via* Twitter ou Facebook. De plus, si vous disposez d'une imprimante compatible avec **AirPrint**, vous pourrez imprimer la page directement depuis l'iPhone.

❶ Affichez la page dans **Safari**.

**②** Touchez 📤.

**③** Touchez **Envoyer par courrier** pour créer un e-mail, dans Mail, contenant un lien vers la page Web.

**④** Touchez **Messages** pour créer un SMS dans Messages, contenant un lien vers la page Web.

**⑤** Touchez **Tweeter** pour partager l'adresse de la page Web avec Twitter. Vous devez avoir configuré votre compte Twitter. Ajoutez éventuellement quelques mots et touchez **Envoyer** pour publier le *tweet*.

**⑥** Touchez **Facebook** pour partager l'adresse de la page Web en tant que nouveau statut Facebook. Vous devez avoir configuré votre compte Facebook. Ajoutez éventuellement quelques mots et touchez **Publier** pour publier le statut.

**⑦** Touchez **Imprimer** pour afficher les paramètres **AirPrint** et imprimer la page Web. Touchez **Imprimer**.

NOTE

La fonction d'impression **AirPrint** n'est à l'heure actuelle compatible qu'avec un nombre limité d'imprimantes Wi-Fi. Rendez-vous dans la boutique Apple pour vérifier si votre imprimante en fait partie : http://store.apple.com/fr.

# Chapitre 5

# Échanger des e-mails

**D**ans ce chapitre, vous explorerez toutes les facettes de l'application **Mail**, permettant d'échanger des messages et consulter à tout moment votre messagerie électronique sur l'iPhone. Après avoir paramétré l'application et ajouté vos comptes de messagerie, vous découvrirez la boîte de réception. Vous verrez bien entendu comment lire vos messages et afficher les pièces jointes, puis y répondre. Vous apprendrez enfin à partager des photos, vidéos ou liens par e-mail.

# Paramétrer Mail

Si vous utilisez l'un des principaux prestataires de messagerie (Microsoft Exchange, Mobile Me, Gmail, Yahoo!, Hotmail ou AOL), la configuration de **Mail** est très rapide : les réglages ont déjà été configurés pour l'iPhone. Pour les autres, vous devez paramétrer votre compte **Mail** manuellement.

## Ajouter un compte de messagerie Microsoft Exchange, Mobile Me, Gmail, Yahoo!, Hotmail ou AOL

**❶** Touchez **Réglages** ▶ **Mail, Contacts, Calendrier** ▶ **Ajouter un compte**.

**❷** Touchez le nom de votre prestataire.

**❸** Saisissez les informations relatives à votre compte de messagerie : votre nom, l'adresse et le mot de passe.

**❹** Dans **Description**, choisissez l'intitulé du compte.

**❺** Touchez **Suivant**.

**❻** Touchez **Enregistrer**.

**❼** Si votre compte de messagerie permet aussi la gestion de contacts, d'agenda, de rappels et/ou de notes, sélectionnez les éléments à synchroniser avec votre iPhone. Touchez le bouton **Enregistrer**.

 Si vous avez plusieurs comptes de messagerie, réitérez cette procédure d'ajout de compte pour chacun d'eux. Vous pouvez ajouter autant de comptes que vous le souhaitez.

## Configurer un compte de messagerie manuellement

**①** Touchez **Réglages ▶ Mail, Contacts, Calendrier ▶ Ajouter un compte ▶ Autre**.

**②** Touchez **Ajouter un compte mail**.

**③** Saisissez les informations relatives à votre compte de messagerie : votre nom, l'adresse et le mot de passe.

**④** À l'aide de la documentation fournie par votre prestataire de messagerie, indiquez les noms d'hôte des serveurs de réception et d'envoi.

**⑤** Touchez **Suivant**.

**⑥** L'iPhone effectue la vérification de vos données et valide le compte de messagerie.

## Comment faire si la configuration manuelle du compte n'aboutit pas ?

Il n'est pas toujours possible de consulter certaines messageries sur l'iPhone, car la configuration manuelle du compte peut échouer.

**①** Pour contourner ce problème, il est possible de mettre en place une redirection de tous les messages vers une autre messagerie qui, elle, n'en posera aucun, comme une adresse Gmail, par exemple.

**②** Créez une adresse gratuitement sur www.gmail.com.

**③** Rendez-vous ensuite dans la section **Paramètres de messagerie** de votre interface de contrôle Gmail.

**④** Cliquez sur **Comptes et importation ▶ Ajouter un compte de messagerie POP3 que vous possédez**.

Dernière vérification : il y a 0 minutes. Afficher l'historique  Consulter votre messagerie maintenant

Ajouter un compte de messagerie POP3 que vous possédez

**❺** Renseignez les données demandées : adresse de messagerie et noms des serveurs de courrier. Vous recevrez désormais les messages destinés à cette adresse sur votre compte Gmail.

**❻** Ajoutez le compte Gmail dans la configuration pour **Mail** de votre iPhone.

# Comprendre l'organisation de Mail

**❶** Touchez l'icône **Mail**. Une pastille rouge indique le nombre de messages non lus.

**❷** En haut de la fenêtre **Mail** s'affichent les **boîtes de réception** : touchez **Toutes les boîtes** pour voir en une seule fois tous les nouveaux messages de toutes vos boîtes confondues, ou touchez le nom d'une boîte de réception spécifique pour voir uniquement les messages reçus à cette adresse.

**❸** Remarquez une ligne spéciale dans la liste des boîtes de réception : **VIP** permet d'accéder rapidement aux messages reçus de la part de personnes importantes, que vous aurez préalablement enregistrés dans votre « liste VIP » personnelle.

**❹** Autre ligne spéciale, visible uniquement si certains de vos messages sont marqués comme « importants » dans vos boîtes de réception, **Drapeaux** regroupe les messages marqués d'un drapeau ou d'un indicateur (étoile, par exemple dans Gmail, Yahoo! mail, *etc.*).

**❺** Dans la partie inférieure de Mail s'affichent les **comptes complets** : touchez le nom d'un compte dans la partie inférieure de l'écran pour accéder à l'intégralité du compte, c'est-à-dire à la boîte de réception, mais aussi aux messages envoyés, brouillons et messages supprimés.

**iCloud** est la boîte de réception liée à votre compte Apple. Si elle apparaît, mais que vous ne l'utilisez pas, vous pouvez la désactiver : touchez **Réglages ▸ Mail, Contacts, Calendrier ▸ iCloud** et désactivez le curseur **Courrier**.

# *Organiser la boîte de réception*

Vous pouvez modifier l'ordre d'apparition des boîtes de réception dans **Mail**.

❶ Touchez le bouton **Modifier** en haut à droite de la fenêtre.

❷ Touchez ≡ à droite du nom d'une boîte de réception.

❸ Faites glisser l'élément vers le haut ou vers le bas pour réorganiser la liste.

❹ Recommencez pour déplacer d'autres éléments. Vous pouvez modifier l'ordre d'apparition dans la liste de n'importe quelle boîte de réception, y compris les boîtes spéciales **VIP** et **Drapeaux**. La ligne **Toutes les boîtes** reste cependant en première position.

❺ Touchez le bouton **OK** pour enregistrer la nouvelle configuration.

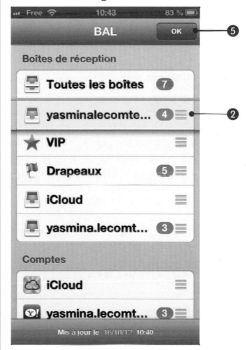

Pour supprimer une boîte de réception de la liste, vous devez désactiver ou supprimer le compte de courrier associé. Consultez les sections « Désactiver tempo- rairement une boîte de réception » et « Supprimer un compte de messagerie » à la fin de ce chapitre pour plus d'informations.

## Afficher la boîte de réception

❶ Touchez **Toutes les boîtes**. La liste de tous les nouveaux messages s'affiche, tous comptes confondus, classés par ordre chronologique (les plus récents d'abord).

❷ Pour chaque e-mail reçu, en dessous de l'expéditeur et de l'heure ou de la date de réception, l'objet du message apparaît, suivi d'un aperçu de quelques lignes.

❸ Les pièces jointes sont signalées par un trombone.

❹ Les messages marqués comme importants sont signalés par un drapeau.

❺ Pour afficher le contenu d'un message, touchez-le.

❻ Pour afficher le contenu d'une boîte de réception spécifique, revenez à l'accueil de **Mail** en touchant **BAL** en haut d'écran.

❼ Touchez le nom d'une boîte de réception pour afficher son contenu.

❽ Le nom de la boîte de réception choisie s'affiche dans le bouton en haut à gauche de la fenêtre.

❾ Pour accéder à l'intégralité d'un compte, c'est-à-dire à la boîte de réception, mais aussi aux messages envoyés, brouillons et messages supprimés, revenez à l'accueil de **Mail** et touchez le nom d'un compte dans la partie inférieure de l'écran.

❿ Les différents dossiers de la boîte de réception s'affichent.

>  Vous pouvez modifier les réglages pour l'aperçu des messages dans **Mail** : touchez **Réglages ▶ Mail, Contacts, Calendrier** et ajustez les options de la section **Mail** en bas d'écran : nombre de messages affichés, nombre de lignes d'aperçu et taille des caractères.

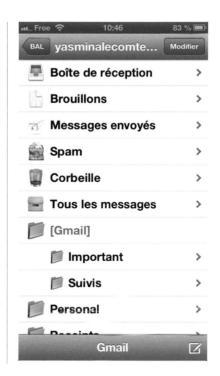

## Actualiser les boîtes de réception

Mail effectue une relève automatique des nouveaux messages dans vos différentes boîtes de réception. Vous pouvez toutefois actualiser manuellement les messages.

❶ Pour actualiser l'ensemble des boîtes de réception à tout moment et lancer la relève du courrier manuellement, affichez l'écran d'accueil de **Mail**.

❷ Posez le doigt sur l'écran et faites glisser vers le bas. L'icône de mise à jour apparaît en haut de l'écran.

❸ Pour mettre à jour un compte spécifique, affichez-le en touchant son nom dans la liste des boîtes de réception, puis faites glisser vers le bas comme expliqué précédemment.

❹ Pour l'ensemble des boîtes de réception comme pour chaque compte spécifique, la date et l'heure de la dernière relève du courrier sont affichées en bas d'écran.

 Pour plus d'informations sur l'actualisation des boîtes de réception, consultez les sections « Qu'est-ce que la notification « Push » ? » et « Configurer la notification des nouveaux e-mails » plus loin dans ce chapitre.

# Afficher une pièce jointe

De nombreux types de documents peuvent être lus dans **Mail**.

❶ Lorsque le message comporte une ou plusieurs pièces jointes, celles-ci apparaissent en fin de message.

❷ Touchez une pièce jointe pour la télécharger.

❸ Les images s'affichent automatiquement en dessous du message une fois téléchargées. Les documents s'affichent dans une fenêtre de lecture.

Salut Yasmina,
Comment vas-tu depuis tout ce temps ?
Ici, ça va... Je t'envoie une petite photo surprise.
A bientôt !
Seb

❹ Si le type de document n'est pas pris en charge par l'iPhone (archives au format RAR ou ZIP, certains formats vidéo, *etc.*), **Mail** indique qu'il est impossible d'ouvrir la pièce jointe.

 Pour enregistrer une photo reçue dans votre bibliothèque d'images, touchez l'image pendant quelques secondes, puis touchez **Enregistrer l'image**.

# Organiser, supprimer et marquer des messages

❶ Lorsqu'un message est affiché, touchez simplement 🗂 en bas d'écran pour l'archiver.

❷ Touchez 🚩 pour marquer le message comme non lu ou important. Un message signalé comme important apparaîtra aussi dans la boîte de réception **Drapeaux**.

**❸** Touchez 🖼 pour déplacer le message dans un autre dossier.

**❹** Pour supprimer rapidement un message, faites glisser votre doigt horizontalement sur la ligne d'aperçu et touchez **Archiver**.

**❺** Pour modifier ou supprimer plusieurs messages, affichez la boîte de réception puis touchez **Modifier**.

**❻** Sélectionnez des messages en touchant le cercle vide à gauche de chacun d'eux.

**❼** Touchez **Archiver** pour supprimer les messages.

**❽** Touchez **Déplacer** puis le dossier de destination pour déplacer les messages sélectionnés.

**❾** Touchez **Marquer** puis **Marquer comme non lu** ou **Marquer d'un drapeau** pour indiquer que les messages sélectionnés sont non lus ou importants, respectivement.

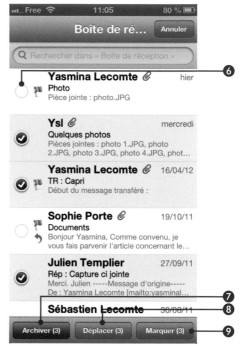

> **NOTE**
> Les messages archivés sont placés dans la corbeille et vous pouvez les y retrouver en cas d'erreur de manipulation.

# Ajouter rapidement un expéditeur aux contacts

**1** Touchez le nom de l'expéditeur.

De : ( Romain ❯ )        Masquer

À : ( Yasmina Lecomte ❯ )

**Rép : contes indiens**

**2** Touchez **Créer un nouveau contact** pour créer un nouveau contact dans le carnet d'adresses. Touchez **Ajouter à un contact** si le contact existe déjà, pour y associer cette adresse de messagerie.

**3** Le contact est ajouté à votre carnet d'adresses.

# Paramétrer la liste de réception VIP

La liste de réception VIP affiche les messages de vos contacts préférés.

**1** Pour la paramétrer, touchez **VIP** dans l'accueil de **Mail**.

**2** Touchez **Ajouter un VIP...**

❸ Votre carnet d'adresses s'affiche. Les contacts pour lesquels aucune adresse email n'est renseignée sont grisés et ne peuvent pas être sélectionnés.

❹ Touchez le nom d'un contact pour l'ajouter à la liste VIP.

❺ Recommencez l'opération pour ajouter d'autres contacts à la liste VIP.

❻ De retour à l'écran d'accueil de **Mail**, touchez **VIP** pour afficher les messages reçus de vos contacts VIP, toutes boîtes de réception confondues.

 Touchez le bouton **Alertes VIP** pour paramétrer les notifications de Mail pour l'arrivée de messages de vos contacts faisant partie de la liste VIP. Attention, les réglages de la liste VIP remplaceront ceux des autres notifications de Mail. Pour plus d'informations sur les notifications, consultez le chapitre 13.

# Effectuer une recherche dans les messages

**①** Touchez deux fois rapidement la barre d'état en haut de l'écran. Le champ de recherche apparaît.

**②** Saisissez le mot à rechercher.

**③** Touchez **Rechercher**.

**④** Touchez **De**, **À** ou **Objet** pour effectuer la recherche respectivement sur l'expéditeur, le destinataire ou l'objet des messages. Touchez **Tous** pour tous les inclure.

**⑤** Pour supprimer ou déplacer des messages dans la liste des résultats, touchez **Modifier** en bas d'écran.

 Attention ! La recherche ne porte pas sur le contenu des messages. Vous pouvez aussi utiliser la recherche globale dans l'iPhone.

# Répondre à un message reçu

**①** Affichez le message dans **Mail**.

**②** Touchez ↩ dans la barre d'outils.

**③** Touchez **Répondre**.

**④** Un nouveau message est automatiquement créé.

**⑤** Écrivez votre réponse dans la zone d'édition.

**⑥** Vous pouvez ajouter des destinataires en touchant la zone **À**, ainsi que des destinataires en copie ou en copie cachée (touchez la zone **Cc/Cci**).

**⑦** Si vous utilisez plusieurs comptes de messagerie, vous pouvez modifier l'expéditeur du message : touchez la zone **De**.

**⑧** Pour modifier l'objet du message, touchez la zone **Objet**.

**⑨** Une fois votre réponse complétée, touchez **Envoyer**.

> **NOTE** Pour faire suivre un message reçu, touchez ← ▶ **Transférer**. Indiquez l'adresse du destinataire puis touchez **Envoyer**. Pour imprimer un message reçu, touchez ← ▶ **Imprimer**.

# Envoyer un e-mail

**❶** Touchez 🖉 dans la barre d'outils.

**❷** Saisissez l'adresse de messagerie de votre destinataire dans la zone **À**. Vous pouvez indiquer plusieurs destinataires. Touchez **Cc/Cci** pour ajouter des destinataires en copie ou en copie cachée.

**❸** Touchez **Objet** et saisissez le sujet du message.

**❹** Touchez la zone d'édition et saisissez votre message.

**❺** Pour joindre une photo ou une vidéo de votre bibliothèque d'images, touchez deux fois rapidement la zone d'édition à l'endroit où vous souhaitez insérer l'élément.

**❻** Touchez la flèche.

**❼** Touchez **Insérer photo ou vidéo**.

**8** Sélectionnez la photo ou la vidéo à joindre au message dans votre bibliothèque puis touchez **Choisir**.

**9** La photo ou vidéo est insérée dans le message. Recommencez éventuellement pour joindre d'autres photos ou vidéos au message.

**10** Une fois votre message prêt, touchez **Envoyer**.

Objet : Re: Photo

**11** Si vous avez joint une ou plusieurs photos au message, choisissez la taille à laquelle ces images seront redimensionnées. L'iPhone compresse automatiquement les images jointes au message et l'envoie.

Pour choisir le compte utilisé par défaut pour la création de nouveaux messages, touchez **Réglages▶Mail, Contacts, Calendrier▶Compte par défaut**.

# Supprimer ou changer la mention « Envoyé de mon iPhone »

La signature par défaut des messages est « Envoyé de mon iPhone ».

**1** Pour changer de signature par défaut, touchez **Réglages ▶ Mail, Contacts, Calendrier ▶ Signature**.

**2** Indiquez le texte à utiliser en signature dans la zone de saisie, qui affiche par défaut « Envoyé de mon iPhone ».

**3** Vous pouvez compléter ce texte, le remplacer par un autre ou simplement l'effacer pour n'utiliser aucune signature. Vous pouvez indiquer une adresse Web dans la signature : elle sera automatiquement convertie en lien.

**4** Appuyez sur le bouton **Accueil** pour quitter les réglages.

>  Par défaut, le paramétrage de la signature concerne tous les comptes de messagerie. Pour définir une signature différente pour chaque compte, activez l'option **Par compte**.

# Envoyer une photo ou une vidéo par e-mail

Il existe en fait deux techniques bien distinctes pour envoyer des photos par e-mail :

- La première consiste à créer un message et à y insérer une photo ou une vidéo.

Cette technique a été expliquée à la section « Envoyer un e-mail », plus haut dans ce chapitre.

- La seconde technique consiste à sélectionner une ou plusieurs photos dans l'application **Photos** puis à utiliser le bouton de partage . Elle permet aussi de partager les photos et vidéos par message type SMS, ou encore *via* Twitter ou Facebook. Elle est approfondie à la section « Partager des photos, vidéos, liens et lieux par e-mail », plus loin dans ce chapitre.

# Redimensionner les photos envoyées par e-mail

À chaque fois que vous envoyez une ou plusieurs photos, l'iPhone vous propose de les redimensionner.

- Choisissez **Petite**, **Moyenne** ou **Grande** pour réduire les photos. Un message contenant des photos de taille réduite sera moins volumineux et donc plus rapidement expédié, surtout si la connexion à Internet n'est pas très rapide. Ces options conviennent bien aux photos simplement visualisées sur écran ou partagées sur les réseaux sociaux, par exemple. Notez toutefois que les tailles **Petite** et **Moyenne** compressent fortement les images et peuvent diminuer sensiblement leur qualité.

- Choisissez **Taille réelle** pour ne pas compresser les images. Cette option est recommandée si votre correspondant souhaite conserver les photos ou les imprimer.

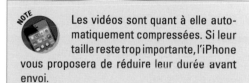

**NOTE** Les vidéos sont quant à elle automatiquement compressées. Si leur taille reste trop importante, l'iPhone vous proposera de réduire leur durée avant envoi.

# Partager des photos, vidéos, liens et lieux par e-mail

Vous pouvez aussi envoyer des e-mails depuis les autres applications, pour partager rapidement une photo, un lien vers une page Web ou un lieu trouvé avec **Plans**.

❶ Pour envoyer une photo, affichez-la dans **Photos** et touchez  ▸ **Envoyer par courrier**.

❷ Dans **Safari**, affichez une page Web, et touchez ▸ **Envoyer par courrier**.

❹ Dans chaque cas, un e-mail sera créé, avec un objet approprié et l'élément choisi, attaché en pièce jointe.

❺ Indiquez le destinataire, complétez le message et touchez **Envoyer**.

**NOTE** Bien que YouTube ne fasse plus partie des applications de base, si vous la téléchargez, vous pourrez aussi partager des vidéos par e-mail (ou plus exactement, des liens vers des vidéos YouTube). Affichez une vidéo dans l'application YouTube puis touchez ▸ **Partager** ▸ **Envoyer YouTube**.

❸ Dans **Plans**, affichez un lieu ou une adresse, puis touchez. Dans la fiche descriptive du lieu, touchez **Envoyer ce lieu** ▸ **Envoyer par courrier**.

# Envoyer plusieurs photos par courrier depuis l'application Photos

Pour envoyer plusieurs photos dans un même message, commencez par lancer l'application **Photos**.

❶ Affichez la pellicule.

❷ Touchez.

❸ Sélectionnez les images en les touchant successivement.

**❹** Pour désélectionner une photo, touchez-la à nouveau.

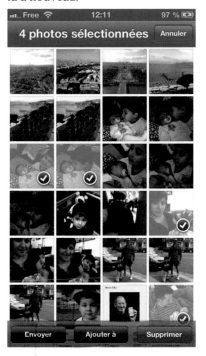

**❺** Touchez  ▶ **Envoyer par courrier**.

> **NOTE** Le nombre maximal de photos pouvant être envoyées à l'aide de cette technique est de 5. Il est par ailleurs impossible de mélanger photos et vidéos ou d'envoyer plusieurs vidéos en une seule opération.

## Envoyer une photo et une vidéo dans un même e-mail

Pour envoyer une photo **et** une vidéo dans un message, utilisez la technique consistant à créer d'abord le message puis insérer une photo/vidéo, présentée à la section « Envoyer un e-mail ». C'est la seule façon de joindre une photo et une vidéo dans un même message.

# Qu'est-ce que la notification « Push » ?

Avez-vous remarqué la pastille rouge qui s'affiche sur l'icône de Mail pour indiquer l'arrivée de nouveaux messages ? Cette notification s'appelle « Push ». Elle est offerte par certains prestataires de messagerie (dont Yahoo !, par exemple). Dans certains cas, les nouveaux messages ne sont pas exactement signalés en temps réel et l'iPhone effectuera une vérification régulière de l'arrivée de nouveaux messages, selon une fréquence de votre choix.

# Configurer la notification des nouveaux e-mails

**❶** Touchez **Réglages**, puis **Mails, Contacts, Calendrier.**

**❷** Défilez vers le bas et touchez **Nouvelles données**.

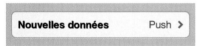

**❸** Vérifiez que **Push** est activé pour voir une notification sur votre iPhone dès l'arrivée de nouveaux messages (pour les comptes de messagerie prenant en charge ce protocole).

**❹** Choisissez la fréquence de récupération des messages lorsque la notification immédiate n'est pas disponible. Choisissez **Manuellement** pour ne pas récupérer les messages automatiquement, mais à la demande seulement, dans **Mail**, lorsque vous faites glisser vers le bas (comme expliqué au début de ce chapitre, à la section « Actualiser les boîtes de réception »).

**❺** Vous pouvez aussi paramétrer individuellement la récupération des données pour chacun de vos comptes de messagerie. Touchez **Avancé**.

 Touchez **Avancé** pour voir quels sont les comptes de messagerie qui prennent en charge le Push et les autres, ceux qui font l'objet d'une récupération des données.

# Désactiver temporairement une boîte de réception

Supposons que vous avez configuré de nombreux comptes de messagerie sur votre iPhone : messagerie personnelle, professionnelle, *etc.* Vous souhaiterez peut-être un jour ne plus accéder temporairement à l'un de vos comptes, d'autant que toutes les boîtes de réception sont réunies en une seule ! Au lieu de supprimer le compte de messagerie, vous pouvez le désactiver temporairement. Ainsi, lorsque vous le réactiverez, non seulement vous n'aurez pas besoin de reprogrammer tous les réglages, mais en outre vous retrouverez immédiatement tous vos messages en un clin d'œil.

**①** Touchez **Réglages ▶ Mails, Contacts, Calendrier**.

**②** Touchez le nom du compte.

**③** Touchez le curseur **Courrier**.

>  Les comptes désactivés apparaissent toujours dans la liste de vos comptes de messagerie, avec la mention « **Dé-sactivé** ». Ils ne sont plus accessibles dans **Mail**. Il suffit d'afficher les détails puis d'activer le curseur **Courrier** pour les rendre actifs à nouveau.

# Supprimer un compte de messagerie

Pour supprimer un compte définitivement :

**①** Touchez **Réglages ▶ Mails, Contacts, Calendrier**.

**②** Touchez le nom du compte.

**③** Touchez **Supprimer le compte** en bas d'écran pour effacer le compte.

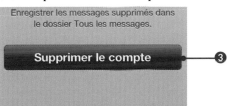

>  Cela ne supprime pas votre adresse de messagerie, bien entendu, mais la rend simplement inaccessible depuis l'iPhone. Pour accéder à nouveau aux messages sur l'iPhone, vous devrez recréer le compte, comme expliqué au début de ce chapitre.

# Échanger des messages

**D**ans le langage de l'iPhone, les *messages* sont les SMS (ou *textos*) et les MMS (ou *textos* avec photo ou vidéo). La gestion des messages se fait *via* l'application **Messages**. Vous apprendrez à utiliser cette application dans ce chapitre. Vous verrez qu'il est aussi possible de faire appel à **Siri**, l'assistant vocal, pour créer et envoyer un message de toutes pièces.

# Qu'est-ce que le mode iMessage ?

L'application **Messages** permet d'envoyer gratuitement des messages de type SMS/MMS à vos contacts utilisant un iPhone, un iPod touch ou un iPad. L'application utilise pour cela non pas le réseau téléphonique de votre opérateur, mais la connexion Internet. Il est même possible d'échanger des messages collectifs. C'est le mode **iMessage**.

L'iPhone reconnaît automatiquement les contacts de votre carnet d'adresses susceptibles de recevoir des iMessages.

Dans l'application **Messages**, les bulles vertes indiquent les SMS/MMS traditionnels et les bulles bleues correspondent aux iMessages.

Consultez la section « Échanger des iMessages gratuitement entre appareils Apple » plus loin dans ce chapitre pour plus d'informations sur ce mode.

# Paramétrer Messages

Avant même de consulter vos messages et d'en envoyer, il est judicieux de paramétrer les options de l'application **Messages**.

❶ Touchez **Réglages** ▸ **Messages**.

❷ Vérifiez que l'option **iMessage** est activée pour pouvoir envoyer gratuitement des messages aux utilisateurs d'iPhone/iPod touch/iPad.

❸ Si vous activez l'option **Confirmations de lecture**, vos correspondants recevront un accusé de réception après lecture de leur message par vos soins.

❹ Si vous utilisez une autre adresse de messagerie au quotidien que celle employée comme identifiant iTunes, touchez **Réception** et ajoutez-la.

❺ Touchez **Service MMS** pour bloquer la fonction MMS.

❻ Pour systématiquement ajouter un sujet à vos messages, activez l'option **Champ Objet**.

❼ Activez l'option **Nombre de caractères** pour voir le nombre de caractères saisis lorsque vous créez un message.

Le type d'alerte reçue à l'arrivée d'un nouveau message dépend des réglages pour les notifications. Touchez **Réglages** ▸ **Notifications** ▸ **Messages** pour les modifier.

# Consulter les messages reçus et y répondre

❶ Pour afficher vos messages, touchez l'icône **Messages**. Une pastille indique le nombre de messages non lus.

❷ L'ensemble des messages échangés avec vos contacts, groupés par conversations, s'affiche.

❸ Touchez une ligne pour afficher la conversation. Vos messages sont en couleurs : les bulles vertes indiquent les SMS/MMS traditionnels et les bulles bleues correspondent aux iMessages.

❹ Pour envoyer instantanément un message, saisissez-le dans la zone de saisie en bas d'écran, puis touchez **Envoyer**.

Si la conversation est très longue, pour revenir en haut d'écran, touchez la barre d'état. Des boutons en haut d'écran permettent d'appeler le contact ou de voir les messages plus anciens.

# Envoyer un message

❶ Touchez ⬚.

❷ Indiquez le numéro du destinataire ou saisissez les premières lettres du nom d'un contact pour le choisir dans le carnet d'adresses.

❸ Recommencez pour ajouter d'autres destinataires.

❹ Touchez la zone de saisie et rédigez le message à l'aide du clavier.

❺ Pour joindre une photo ou une vidéo, touchez ⓞ.

❻ Touchez ensuite **Prendre photo** pour utiliser l'appareil photo et **Choisir existante** pour envoyer une photo de votre bibliothèque.

❼ Touchez **Envoyer**.

**NOTE**

Si vous indiquez un contact utilisant un iPhone/iPod touch/iPad, **Messages** passe automatiquement en mode iMessage. Vous pouvez aussi indiquer l'identifiant iTunes du contact (adresse e-mail) pour envoyer un iMessage au lieu d'un message classique.

# Supprimer rapidement des messages ou des conversations

**1** Touchez l'icône **Messages** pour afficher la liste des conversations.

**2** Pour effacer rapidement une conversation entière, faites glisser horizontalement le doigt sur une ligne puis touchez **Supprimer**.

**_Seb**
Pièce jointe : 1 contact          **Supprimer**

**3** Pour supprimer des messages à l'intérieur d'une conversation, affichez-la puis touchez **Modifier**.

**4** Sélectionnez les messages à effacer.

**5** Touchez **Supprimer**.

**NOTE**

Pour transférer un ou plusieurs messages, affichez une conversation et touchez **Modifier**. Sélectionnez les messages et touchez **Transférer**.

# Dicter un message grâce à Siri

Il est possible de faire appel à l'assistant vocal de l'iPhone pour non seulement écrire le message, mais aussi le créer de toutes pièces.

**1** Appuyez longuement sur le bouton **Accueil** pour lancer **Siri**.

**2** Dictez la commande « Envoyer un message à » suivie du nom du destinataire, tel qu'il apparaît dans votre carnet d'adresses.

**3** **Siri** vous demande ensuite la teneur du message lui-même : dictez-le-lui.

**4** Touchez **Envoyer**.

NOTE

Vous pouvez aussi directement énoncer une instruction du type « Envoyer un message à Sébastien pour dire que je serai à la maison à 18 h ». Par ailleurs, dans l'application **Messages**, le bouton bouton 🎙 du clavier donne accès à la saisie vocale.

# *Échanger des iMessages gratuitement entre appareils Apple*

Le mode iMessage permet d'échanger des messages de manière illimitée et gratuite, avec vos contacts possédant un iPhone/iPod Touch/iPad et connectés à Internet.

**1** Pour utiliser cette fonctionnalité, vous devez avoir paramétré votre compte : c'est l'adresse de messagerie utilisée pour votre identifiant iTunes qui fait office de « contact » pour ces messages (et non votre numéro de téléphone).

**2** Vous devez aussi connaître l'identifiant utilisé pour iMessage par vos contacts

(adresse e-mail) pour leur envoyer des iMessages. Elle doit être renseignée dans le carnet d'adresses. Si vos contacts ont activé iCloud, en principe, l'iPhone reconnaîtra aussi leur numéro et proposera automatiquement le mode iMessage.

**3** Une bulle bleue apparaît en vis-à-vis du nom des contacts pouvant communiquer par iMessage lorsque vous effectuez une recherche de destinataire.

❹ Dans les conversations, les iMessages sont indiqués par des bulles bleues.

 La fonction iMessage est parfaite si tous vos contacts sont des adeptes des appareils nomades Apple. En guise de complément ou d'alternative, il existe des applications sur l'App Store pour communiquer de la même façon, par messages Internet, entre tous types d'appareils mobiles : Apple, mais aussi BlackBerry ou smartphones Android, *etc.* La plus efficace et la plus connue d'entre elles s'appelle **WhatsApp Messenger**.

## Envoyer des messages collectifs

Le mode iMessage permet d'échanger des messages collectifs où tous les échanges restent groupés dans la même conversation et chaque participant reçoit les réponses des autres.

❶ Créez un nouveau message.

❷ Indiquez les adresses des destinataires.

❸ Écrivez et envoyez le message.

❹ Tous les messages échangés par la suite le sont à destination de l'ensemble des participants. Pour chaque message reçu, le nom de l'expéditeur apparaît au-dessus de la bulle.

 iMessage permet d'échanger des messages collectifs, à condition que tous les destinataires utilisent ce mode. Si vous envoyez un message à de multiples des- tinataires, dont ne serait-ce qu'un n'utilise pas iMessage, ce sera automatiquement le mode message classique qui prévaudra.

## *Ne plus recevoir deux notifications à chaque nouveau message*

Par défaut, l'application **Messages** est paramétrée de façon ce que l'iPhone signale deux fois chaque nouveau message par une alerte. Vous pouvez modifier ce réglage.

❶ Touchez **Réglages ▶ Notifications**.

❷ Touchez **Messages**.

❸ En bas d'écran, touchez **Rappels**.

❹ Sélectionnez l'option **jamais**.

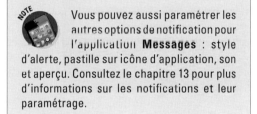

Vous pouvez aussi paramétrer les autres options de notification pour l'application **Messages** : style d'alerte, pastille sur icône d'application, son et aperçu. Consultez le chapitre 13 pour plus d'informations sur les notifications et leur paramétrage.

## *Envoyer rapidement un message à un contact suite à un appel décliné*

Une nouvelle fonction de l'iPhone 5 permet de répondre immédiatement par SMS lorsque vous ne pouvez pas ou ne souhaitez pas répondre à un appel téléphonique.

❶ Au moment de la réception d'un appel, touchez et faites glisser le bouton ▣ vers le haut.

❷ Touchez **Répondre par un message**.

❸ Choisissez l'un des messages prédéfinis : « Je te rappelle », « J'arrive » ou « Ça va ? » ou touchez **Personnalisé** pour créer votre propre message.

❹ L'appel est décliné et votre message envoyé immédiatement au contact émetteur de l'appel.

 **NOTE** Consultez le chapitre 3 pour plus d'informations au sujet de cette fonction de l'application **Télé-phone**.

# Chapitre 7

# L'iPhone
# et les réseaux sociaux

Une des nouveautés de l'iPhone 5 est l'intégration avancée de fonctionnalités liées à Facebook. La version précédente de l'iPhone avait déjà vu l'arrivée de Twitter. Grâce à ces deux outils mondialement connus et appréciés de tous les amateurs de réseaux sociaux, il est désormais possible de consulter vos fils d'actualité Facebook et Twitter aisément depuis l'iPhone, mais aussi de publier des mises à jour en un clin d'œil. Mieux encore, Facebook et Twitter sont aussi intégrés à plusieurs applications de base de l'iPhone, facilitant grandement le partage de photos, vidéos, plans et adresses Web. Vous verrez comment télécharger et utiliser ces applications dans ce chapitre.

# Utiliser Twitter et Facebook depuis l'iPhone

Utiliser **Twitter** et **Facebook** sur votre iPhone peut se faire de deux manières complémentaires.

❶ Utiliser l'application **Twitter/Facebook** pour publier des « tweets » et suivre le flux de vos abonnements Twitter/publier des mises à jour et consulter votre fil d'actualité Facebook. Vous devez pour cela utiliser l'application **Twitter** ou **Facebook**.

❷ « Tweeter » ou publier directement depuis une application pour partager sur **Twitter/Facebook** une photo ou une vidéo personnelle (depuis **Photos**), un emplacement, une adresse ou la fiche d'un commerce (depuis **Plans**) ou encore une page Web (*via* **Safari**).

 Avec l'iPhone 5, vous pouvez aussi utiliser Siri, l'assistant vocal, pour publier rapidement une mise à jour sur Twitter ou Facebook. Consultez la fin de ce chapitre pour plus d'informations.

# Télécharger et configurer l'application Twitter

❶ Touchez **Réglages** ▸ **Twitter** ▸ **Installer**.

❷ Indiquez vos identifiants **Twitter** si vous possédez déjà un compte. Sinon, touchez **Créer un compte**.

❸ Touchez **Se connecter**.

❹ Appuyez sur le bouton **Accueil** pour quitter les réglages.

❺ L'icône de l'application **Twitter** est désormais visible sur l'écran d'accueil.

 De préférence, créez votre compte **Twitter** en vous rendant directement sur le site www.twitter.fr sur un ordinateur : vous y obtiendrez plus d'informations qu'en créant un compte rapidement depuis l'iPhone et pourrez sélectionner vos premiers contacts à suivre.

# Utiliser l'application Twitter

Vous ne connaissez pas encore **Twitter** ?
C'est un réseau social fondé sur l'échange
de « minimessages » de 140 caractères. Très
populaire dans le monde entier, **Twitter** a
ses adeptes, ses célébrités, ses anecdotes
sans fin et même un vocabulaire spécifique.
Voici comment utiliser l'application Twitter
sur votre iPhone.

❶ Touchez l'icône **Twitter** pour lancer
l'application.

❷ Votre fil d'actualité s'affiche.

❸ Touchez un tweet pour afficher les
détails et réponses.

❹ Faites glisser horizontalement sur
un tweet pour y répondre, retweeter ou
l'ajouter aux favoris.

**5** Pour afficher vos propres tweets, touchez le bouton **Moi** en bas d'écran.

 **NOTE** Sur Twitter, une publication en réponse à une autre est automatiquement signalée par @nom_utilisateur, pour indiquer à quel membre de Twitter vous répondez. On appelle ce type de tweet une @réponse (« at réponse »).

## Publier un tweet

**1** Touchez  pour écrire et publier un tweet.

**2** Utilisez les boutons en bas de la zone de saisie pour mentionner un utilisateur ( @ ) ou un sujet ( # ), ajouter une photo ( 📷 ) ou votre localisation ( ➤ ). Le nombre de caractères saisi s'affiche à droite de ces boutons.

**3** Touchez **Tweet** pour publier le tweet.

 **NOTE** Le bouton ➤ permet d'ajouter votre localisation au tweet. C'est utile si cette indication apporte un plus au message, en voyage ou en déplacement, par exemple.

# Respecter la limite de 140 caractères

La limite de 140 caractères peut sembler difficile à tenir lorsqu'on a beaucoup de choses à dire. Bien entendu, c'est l'idée même de Twitter : rester synthétique, s'en tenir à l'essentiel. Voici tout de même quelques astuces pour réduire la taille de vos tweets :

**❶** Utilisez des signes au lieu de mots aussi souvent que possible : « + » au lieu de « plus », « & » au lieu de « et », et ainsi de suite.

**❷** Utilisez des chiffres au lieu de les écrire en toutes lettres. Idem pour les dates.

**❸** Utilisez des abréviations, qu'elles soient connues de tous ou plus personnelles, à partir du moment où vous savez qu'elles seront comprises de tous dans le contexte.

**❹** Oubliez les points et les signes de ponctuation non indispensables à la compréhension du message, en particulier en fin de phrase.

**❺** Supprimez tous les mots vides et dont l'absence ne gêne pas la compréhension.

**❻** Inutile de signaler un lien par les mots « ici » ou « cliquez » : les liens apparaissent en couleur et sont donc déjà mis en valeur dans les tweets.

**❼** Utilisez un site spécialisé pour créer vos URL encore plus courtes, comme Bit.ly.

**❽** N'oubliez pas que les informations de localisation, #hashtag et @mentions prennent de la place. Indiquez un mot-clé ou utilisateur si c'est nécessaire, mais ne les multipliez pas inutilement.

**❾** Si vous avez plusieurs idées à partager, tweetez en plusieurs fois !

**❿** Si vous avez vraiment besoin de communiquer dans les grandes largeurs, utilisez un autre support (blog, Facebook, *etc.*) et tweetez un lien vers celui-ci !

 Une URL courte est la version raccourcie d'une adresse de page Web. C'est un concept incontournable sur Twitter, car les adresses de pages Web peuvent être très longues, voire même dépasser les 140 caractères à elles seules. L'application Twitter raccourcit automatiquement les URL que vous insérez dans vos tweets, mais vous pouvez utiliser un site spécialisé pour créer des URL encore plus courtes.

# Publier une photo sur Twitter

**①** Pour tweeter une photo, affichez-la dans **Photos** puis touchez  ▸ **Tweeter**.

**②** Un tweet est créé, avec la photo déjà attachée. Vous pouvez ajouter quelques mots.

**③** Touchez **Envoyer** pour publier le tweet.

**④** Une fois le tweet publié, la photo disposera automatiquement d'une URL d'image Twitter (de la forme *pic.twitter.com/123abcd*). Vous n'avez à vous occuper de rien.

> **NOTE**
> Afin de respecter la limite de 140 caractères, les URL et adresses d'images publiées avec l'application Twitter sont automatiquement raccourcies. Consultez la section précédente pour plus d'informations à ce sujet.

# *Publier une adresse Web sur Twitter*

❶ Dans **Safari**, affichez une page Web, puis touchez  ▶ **Tweeter**.

❷ Touchez **Envoyer** pour publier le tweet, après avoir éventuellement ajouté quelques mots.

❸ Dans le tweet publié, l'adresse Web bénéficie automatiquement d'une URL courte.

> **NOTE** Concept propre à Twitter, le # ou **hashtag** (nom du symbole dièse en anglais) est un moyen d'associer un mot-clé à un tweet, et ainsi de catégoriser les messages publiés. Les utilisateurs peuvent ainsi « garder le fil » d'une conversation, retrouver facilement les tweets parlant du même sujet, *etc*.

# Partager un lieu sur Twitter

**①** Dans **Plans**, affichez un lieu ou une adresse, puis touchez ⊙.

**②** Dans la fiche descriptive du lieu, touchez **Envoyer ce lieu ▸ Tweeter**.

**③** Un tweet est préparé, avec un lien permettant d'afficher le lieu sur **Google Maps**. Complétez éventuellement le tweet.

**④** Touchez **Envoyer** pour publier le tweet.

**⑤** Dans le tweet publié, l'adresse du lieu bénéficie automatiquement d'une URL courte. Elle mène à l'emplacement du lieu sur Google Maps.

# Télécharger et configurer l'application Facebook

**①** Touchez **Réglages** ▶ **Facebook** ▶ **Installer**.

**②** Indiquez vos identifiants **Facebook** si vous possédez déjà un compte. Sinon, touchez **Créer un compte**.

**③** Touchez **Se connecter**.

**④** L'application Facebook vous propose de synchroniser vos données avec les applications **Contacts** et **Calendrier**. Vous pourrez par la suite désactiver cette synchronisation.

**⑤** Touchez **Se connecter**.

**⑥** Dans l'écran de réglage de Facebook, vous pouvez dès à présent si vous le souhaitez désactiver la synchronisation des données Facebook avec **Calendrier** et **Contacts** : utilisez les curseurs correspondants.

**⑦** Pour éviter les doublons, touchez le bouton **Actualiser tous les contacts** : les données de votre carnet d'adresses et les informations fournies par vos amis Facebook seront fusionnées.

**8** Appuyez sur le bouton **Accueil** pour quitter les réglages.

**9** L'icône de l'application **Facebook** est désormais visible sur l'écran d'accueil.

---

**NOTE**

Si vous aviez téléchargé l'application Facebook depuis l'App Store sur votre ancien iPhone ou avant la mise à jour iOS 6, vous n'aurez pas besoin de le faire à nouveau, en revanche, vous devez indiquer votre identifiant et votre mot de passe dans les réglages de l'iPhone pour synchroniser les contacts et le calendrier.

---

# Découvrir l'application Facebook pour iPhone

**1** Touchez l'icône **Facebook** pour lancer l'application.

**2** L'écran de connexion s'affiche. Indiquez vos identifiants puis touchez **Connexion**.

**3** L'application **Facebook** offre une application spécialement conçue et optimisée pour l'iPhone. Votre fil d'actualité s'affiche.

**4** Touchez le bouton **Ordre** pour changer l'ordre d'affichage des actualités puis **OK** pour valider l'option choisie.

**5** Les boutons de la barre d'outils en haut d'écran, identiques à la version Web de **Facebook**, permettent d'afficher les demandes d'ajouts à la liste d'amis, les messages et les notifications.

**6** Si vous avez de nouvelles notifications, leur nombre s'affiche au-dessus de l'icône correspondante, mise en surbrillance. Touchez simplement l'icône pour en savoir plus.

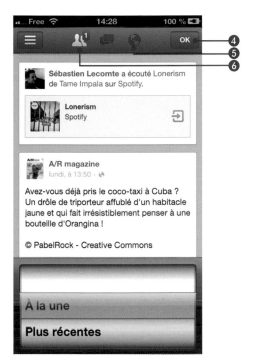

**❼** Touchez pour afficher le menu général. Vous pouvez alors accéder aux autres rubriques du site : profil, messages, amis, pages et invitations, groupes, évènements, photos, *etc.*

**❽** Touchez **Paramètres du compte**, tout en bas du menu, pour accéder aux paramètres de votre compte.

**❾** Touchez **Déconnexion** pour vous déconnecter de l'application.

**❿** Revenez en haut d'écran et touchez **Fil d'actualité** pour afficher à nouveau les actualités de votre réseau.

⓫ Pour afficher votre propre profil Facebook, touchez votre nom en haut du menu.

Pour actualiser votre fil d'actualité **Facebook**, touchez l'écran et faites glisser vers le bas.

# Publier un statut

❶ Pour publier un nouveau statut **Facebook**, touchez **Statut** en haut d'écran.

❷ Saisissez votre nouveau statut à l'aide du clavier.

❸ Les boutons situés sous la zone de saisie permettent d'ajouter une photo, une personne ou d'indiquer un lieu.

❹ Touchez le bouton 📷 pour ajouter une photo ou une vidéo.

❺ Pour utiliser une photo ou une vidéo se trouvant dans votre bibliothèque d'images, touchez **Choisir dans la bibliothèque**. Pour prendre une photo et la publier instantanément, touchez **Prendre une photo ou vidéo**.

❻ Prenez ou sélectionnez une photovidéo. Si celle-ci vous convient, touchez **Utiliser**.

**7** Pour indiquer une personne en votre compagnie parmi vos amis Facebook, touchez le bouton **.

**8** Touchez le nom de la personne ou des personnes à inclure dans votre liste d'amis.

**9** Pour ajouter votre localisation, touchez le bouton 📍 .

**10** Enfin, touchez le bouton 🌐▾ et choisissez un niveau de confidentialité pour ce statut : amis seulement, mise à jour publique ou destinée à une liste spécifique.

**11** Touchez **Publier** pour mettre à jour votre statut.

Sur ordinateur, une icône spéciale indiquera que votre publication a été effectuée depuis un appareil mobile. Vos amis sauront ainsi que vous avez effectué cette publication depuis votre smartphone.

# Utiliser les fonctions Lieux et À proximité

Les fonctions **Lieux** et **À proximité** utilisent une fonctionnalité spécifique de l'iPhone : la géolocalisation (fonction de repérage géographique).

**1** L'outil **Lieux** permet par exemple de lister les lieux remarquables (restaurants, boutiques, *etc.*) ou d'indiquer sur votre mur l'endroit où vous vous trouvez à un moment donné. Pour l'utiliser, touchez **Lieux** en haut d'écran.

**2** L'application recherche votre emplacement et liste les lieux connus autour de vous.

**3** Touchez un lieu pour indiquer que vous vous y trouvez.

**④** Ajoutez quelques mots si vous le souhaitez. Vous pouvez identifier des amis en votre compagnie.

**⑤** Ajustez le niveau de confidentialité et touchez **Publier** pour partager un statut avec le lieu choisi.

 Avec Julien Templier, à : La Lucha Libre.

**⑥** Pour utiliser **À proximité**, l'autre outil associé à la géolocalisation de l'application **Facebook**, touchez  ▸ **À proximité**.

**⑦** Vous verrez alors les lieux récemment visités par vos amis et à proximité de votre emplacement actuel.

À proximité

**Julien Templier**
La Lucha Libre
il y a 19 minutes

> **NOTE** Le service de localisation doit être activé pour l'application **Facebook** sur votre iPhone. Touchez **Réglages ▸ Confidentialité ▸ Service de localisation**. Vérifiez que le curseur **Facebook** est activé.

# Publier une photo sur Facebook

❶ Afficher la photo dans **Photos** puis touchez  ▸ **Facebook**.

❷ Un statut Facebook est créé, avec la photo déjà attachée. Écrivez quelques mots,

et indiquez le lieu (touchez ⬈) et le niveau de confidentialité du statut (touchez 👥).

❸ Touchez **Publier** pour partager la photo sur votre mur.

> **NOTE** Vous pouvez aussi, bien entendu, publier une photo depuis l'application Facebook, en touchant le bouton **Photo** dans la barre d'outils en haut d'écran.

# Publier une adresse Web sur Facebook

❶ Dans **Safari**, affichez une page Web, puis touchez  ▸ **Facebook**.

❷ Touchez **Publier** pour partager la photo sur votre mur, après avoir éventuellement ajouté quelques mots, indiqué le lieu (touchez ⬈) et choisi le niveau de confidentialité du statut (touchez 👥).

# Partager un lieu sur Facebook

**①** Dans **Plans**, affichez un lieu ou une adresse, puis touchez ⊙.

**②** Dans la fiche descriptive du lieu, touchez **Envoyer ce lieu ▸ Facebook**.

**③** Un statut est préparé, avec un lien permettant d'afficher le lieu sur **Google Maps**.

**④** Touchez **Publier** pour partager la mise à jour sur votre mur, après avoir éventuellement ajouté quelques mots, indiqué le lieu (touchez ◁) et choisi le niveau de confidentialité du statut (touchez 👥).

**⑤** Dans le statut publié, l'adresse mène à l'emplacement du lieu sur Google Maps.

# Publier une mise à jour sur Facebook ou Twitter grâce à Siri

**Siri**, l'assistant vocal de l'iPhone, permet désormais de publier des tweets et mises à jour de statut, sur Twitter et Facebook, respectivement.

**❶** Appuyez longuement sur le bouton **Accueil** pour lancer Siri.

**❷** Pour publier un tweet, dites « **Tweeter** » suivi du message souhaité. Vous pouvez aussi commencer par « **publier sur Twitter** » et Siri vous demandera des détails quant à la publication désirée.

**❸** Touchez le bouton **Envoyer** pour publier le tweet.

**❹** Pour publier une mise à jour sur Facebook, dites « **Facebook** » suivi du message souhaité. Vous pouvez aussi commencer par « **publier sur Facebook** » et compléter le message.

**❺** Touchez le bouton **Publier** pour mettre votre statut à jour.

 À l'heure où ces lignes sont écrites, il n'est pas possible de publier des photos sur Twitter ou Facebook avec Siri.

# Les autres réseaux sociaux sur l'iPhone

Les autres réseaux sociaux ne sont pas en reste sur l'iPhone et il existe des applications pour les plus connus d'entre eux. Il existe même des réseaux sociaux uniquement utilisables depuis l'iPhone.

 Pour utiliser le réseau social **Google+**, consulter l'activité de vos cercles et publier de nouveaux « posts » depuis l'iPhone, téléchargez l'application du même nom.

Le dernier réseau social à la mode, **Pinterest**, est bien entendu lui aussi présent sur l'iPhone. Téléchargez l'application officielle **Pinterest** pour partager vos passions.

Découvrez aussi **Instagram**, un réseau social spécialement créé pour les smartphones et accessible uniquement par ce biais. Ce réseau permet de partager vos photos avec vos amis et le reste du monde.

Deux autres réseaux sociaux sont axés sur la géolocalisation et valent la peine d'être découverts sur l'iPhone : **Fours-** **quare** et **Gowalla**. Notez aussi que le plus célèbre des réseaux sociaux professionnels, **LinkedIn**, dispose de sa propre application.

# Chapitre 8

# Photo et vidéo avec l'iPhone

C e chapitre vous propose d'explorer les outils de l'iPhone liés à la photographie. Sophistiqué et puissant, l'appareil photo de l'iPhone permet de prendre de très bonnes photos et des vidéos haute définition. Le nouveau mode **Panoramique** permet de réaliser des panoramas époustouflants avec facilité. Regarder vos photos et vidéos avec votre iPhone 5, doté de son superbe écran, est aussi un vrai plaisir. Ce qui est toutefois encore plus fabuleux, c'est de pouvoir aussi profiter de la connexion Internet de votre iPhone pour partager en un clin d'œil vos œuvres avec vos proches. Vous découvrirez toutes ces manipulations dans ce chapitre.

# Réussir ses photos sur l'iPhone

Avec ses deux objectifs, à l'avant et à l'arrière du boîtier, et son excellente résolution (8 mégapixels), son flash, ses fonctions de mise au point automatique et de détection des visages, l'appareil photo de l'iPhone permet de prendre de superbes photos.

❶ Pour prendre une photo, touchez l'icône **Appareil photo** sur l'écran d'accueil.

❷ Pointez l'iPhone vers la scène à photographier. L'écran affiche exactement ce qui va être pris en photo.

❸ Pour effectuer un zoom, touchez l'écran avec deux doigts et écartez-les. Vous pouvez ensuite ajuster le zoom en faisant glisser le curseur situé en bas de l'écran.

❹ Vous pouvez forcer l'utilisation du flash ou au contraire le désactiver. Touchez (⚡ Non) et choisissez **Auto** pour un déclenchement automatique selon l'intensité lumineuse de la scène, **Oui** pour forcer le flash, **Non** pour le désactiver. Le mode sélectionné reste actif tant que vous ne le modifiez pas.

❺ Le carré affiché en surimpression indique la zone de mise au point. Touchez la zone de l'écran sur laquelle vous souhaitez faire la mise au point. Avec la nouvelle fonction de détection des visages, l'appareil photo est aussi capable de faire le point sur les visages et règle l'exposition en conséquence.

❻ Pour changer de vue, et vous photographier vous-même, par exemple, touchez le bouton de permutation.

➐ Touchez **Options ▸ Grille de composition** pour afficher des repères de cadrage sur l'écran.

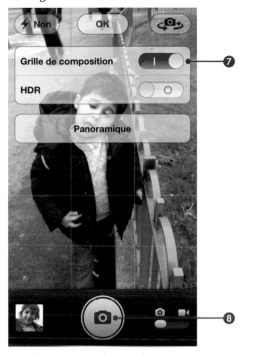

➑ Touchez  pour déclencher la prise de vue.

➒ Recommencez pour prendre d'autres photos.

> **NOTE** Touchez **Options ▸ HDR** pour que l'iPhone capture trois versions de la prise de vue, chacune avec un niveau d'exposition différent, puis réunisse les meilleurs aspects de chacune en une photo unique. Attention ! L'espace disponible sur votre iPhone sera vite rempli avec ce type de photos.

# Prendre une photo panoramique

Nouveauté de l'iPhone 5, la fonction de prise de vue panoramique est tout simplement sensationnelle : elle permet de créer extrêmement simplement un panorama haute résolution à 240 degrés.

➊ Touchez l'icône **Appareil photo** sur l'écran d'accueil.

➋ Pointez l'iPhone vers la scène à photographier. Positionnez l'iPhone en orientation portrait (la création de panorama ne fonctionne pas en orientation paysage).

➌ Touchez **Options ▸ Panoramique**.

➍ Cadrez la scène sur le début de la vue panoramique souhaitée.

**⑤** Touchez le bouton 📷 pour déclencher la prise de vue.

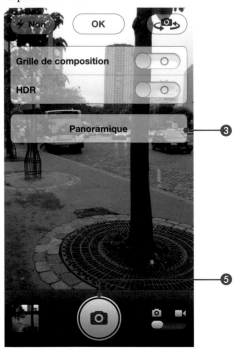

**⑥** À vous de jouer à présent : vous devez déplacer l'iPhone en pivotant sur vous-même. Un repère visuel vous aide à garder l'iPhone bien horizontal : la pointe de la flèche blanche doit suivre autant que possible la ligne bleue au fur et à mesure que vous pivotez.

**⑦** Pivotez jusqu'à terminer le panorama (un panorama complet effectue une rotation de 240 degrés) ou touchez le bouton **Arrêt** pour stopper la prise de vue prématurément.

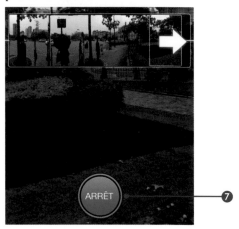

**⑧** L'iPhone génère la photo panoramique et la sauvegarde dans votre bibliothèque de photos. Admirez le résultat !

> **NOTE**
> La prise de vue panoramique est par défaut programmée pour une rotation vers la droite. Pour changer de sens, touchez simplement la flèche blanche.

# Filmer avec l'iPhone

L'appareil photo de l'iPhone fait aussi office de caméra vidéo et offre une très bonne qualité d'enregistrement : vidéo HD (1080p) jusqu'à 30 images par seconde.

**1** Pour enregistrer une vidéo, touchez l'icône **Appareil photo** sur l'écran d'accueil, puis touchez le curseur.

**2** Comme lorsque vous prenez une photo, touchez le bouton de permutation pour changer d'objectif, ajustez le mode de déclenchement du flash et, enfin, touchez la zone de l'écran sur laquelle vous souhaitez faire la mise au point.

**3** Touchez deux fois l'écran rapidement pour filmer en mode panoramique. Touchez à nouveau l'écran deux fois rapidement pour revenir en mode plein écran.

**4** Touchez pour lancer l'enregistrement.

**5** Remarquez la durée de l'enregistrement en cours en haut à gauche de l'écran.

**6** Touchez à nouveau pour arrêter l'enregistrement.

> **NOTE** En quelques manipulations très simples, vous pourrez raccourcir une vidéo prise avec l'iPhone, et ainsi couper les images du début ou de la fin qui vous semblent inutiles. Si vous souhaitez diffuser vos vidéos sur **YouTube**, il est préférable de filmer systématiquement en orientation paysage.

# Prendre des photos tout en enregistrant une vidéo

C'est une nouveauté de l'iPhone 5 : l'appareil photo permet de prendre des photos au cours de l'enregistrement d'une vidéo.

**1** Lancez l'enregistrement d'une vidéo : touchez l'icône **Appareil photo** sur l'écran d'accueil, puis placez le curseur en mode vidéo, et enfin, touchez pour commencer à filmer.

**2** À tout moment, appuyez sur le bouton : l'iPhone prend une photo et la sauvegarde dans la bibliothèque d'images.

**3** Touchez à nouveau pour arrêter l'enregistrement.

## Prendre des photos encore plus rapidement

**1** Pour un accès rapide à l'appareil photo, placez l'icône **Appareil photo** dans le dock de lancement rapide. Consultez le chapitre 2 pour plus d'informations sur cette opération.

**2** Lorsque l'iPhone est en veille, appuyez sur le bouton **Accueil** puis touchez et faites glisser  vers le haut pour lancer rapidement l'appareil photo.

**3** Une fois l'appareil photo lancé, pour déclencher la prise de vue, appuyez sur le bouton de volume +.

> **NOTE** Si vous utilisez plusieurs appareils Apple, l'option **Flux de photos** transfère automatiquement les nouvelles photos, *via* iCloud, sur tous vos appareils lorsque vous êtes connecté en Wi-Fi. Touchez **Réglages ▶ Photos et appareil ▶ Mon flux de photos** pour l'activer.

## Visualiser les photos et vidéos

L'application servant à gérer et afficher vos photos avec l'iPhone est **Photos**.

**1** Touchez l'icône **Photos**.

**2** Vos photos s'affichent, groupées par albums. L'ensemble des photos et des vidéos s'affiche sous forme de vignettes. Les vidéos sont faciles à repérer : leur durée s'affiche dans la vignette.

**3** Touchez une photo ou une vidéo pour l'afficher en plein écran.

**❹** Vous pouvez feuilleter la pellicule : faites glisser votre doigt vers la gauche ou vers la droite pour afficher la photo/vidéo précédente ou suivante rapidement.

**❺** Passez en mode paysage : la photo ou la vidéo se réoriente et s'adapte automatiquement à l'écran.

**❻** Pour zoomer dans une photo, touchez l'écran deux fois rapidement ou utilisez la technique habituelle. Vous ne pouvez pas zoomer dans une vidéo.

**❼** Affichez une photo ou une vidéo, puis touchez l'écran pour faire apparaître les commandes.

 Pour visualiser une photo ou une vidéo immédiatement après la prise de vue, sans quitter **Appareil photo**, touchez la vignette en bas à gauche de l'écran. La bibliothèque de photos s'affiche alors.

# Afficher un diaporama

Vous pouvez lancer un diaporama en musique de vos photos : chaque photo sera affichée pendant la durée de votre choix.

**1** Pour lancer le diaporama, affichez une photo en plein écran.

**2** Touchez .

**3** Les options de diaporama s'affichent. Choisissez tout d'abord un effet de transition.

**4** Activez éventuellement la lecture de la musique et choisissez un morceau.

**5** Touchez **Démarrer le diaporama**.

**6** Le diaporama débute et dure jusqu'à ce que vous touchiez l'écran (pour revenir à **Photos**) ou appuyiez sur le bouton **Accueil** (pour quitter l'application).

**7** Pour modifier les options avancées du diaporama, touchez **Réglages ▶ Photos et appareil**.

**8** Choisissez la durée d'affichage de chaque photo (de 2 à 20 secondes).

**9** Sélectionnez un effet de transition entre les photos.

**10** Activez éventuellement l'option **Boucle** pour que le diaporama ne se termine jamais.

**11** Activez l'option **Aléatoire** pour que les photos soient affichées au hasard et non selon l'ordre de la pellicule photo.

**12** Appuyez sur le bouton **Accueil** pour quitter les réglages.

# Retoucher facilement vos photos

L'iPhone vous permet d'effectuer simplement et efficacement des retouches basiques sur vos photos : rotation, amélioration automatique des couleurs et du contraste, correction des yeux rouges et recadrage.

❶ Affichez une photo et touchez .

❷ Touchez 🔄 pour faire pivoter la photo de 90°. Répétez l'opération autant de fois que nécessaire.

❸ Touchez 🪄 pour appliquer la correction colorimétrique automatique.

❹ Touchez ∅ pour appliquer une correction des yeux rouges. Touchez successivement chaque œil rouge dans la photo.

❺ Touchez 🔲 pour recadrer la photo. Faites glisser les points d'ancrage du cadre pour rogner la photo à votre convenance, puis touchez **Recadrer**.

❻ Touchez Enregistrer pour sauvegarder la photo retouchée.

De nombreuses applications disponibles sur l'App Store permettent de créer des effets puissants ou ludiques sur vos photos, comme **PhotoFunia**, **Lo-Mob**, **Color Effects**, **Photogene** ou **OldBooth**.

# Découper le début ou la fin d'une vidéo

**❶** Pour supprimer aisément des images au début et à la fin de vos films, affichez la vidéo.

**❷** Touchez l'écran pour afficher les commandes.

**❸** Faites glisser le curseur de gauche pour éliminer des images au début de la vidéo.

**❹** Faites glisser le curseur de droite pour couper les images de fin.

**❺** Une fois la vidéo recadrée comme souhaité, touchez **Raccourcir**.

**❻** Choisissez **Raccourcir l'original** pour effectuer le découpage désiré. Attention ! Dans ce cas, les images supprimées sont effacées définitivement.

**❼** Choisissez **Nouvel extrait** pour conserver la vidéo d'origine et créer une nouvelle vidéo raccourcie. La nouvelle vidéo sera enregistrée dans la pellicule.

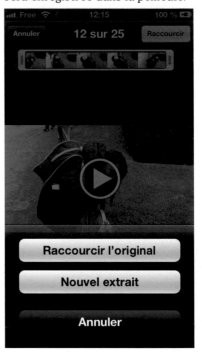

 **NOTE** Pour aller plus loin, téléchargez l'application **iMovie** d'Apple. Elle permet de créer des montages vidéo, avec des thèmes variés et l'ajout d'effets de transition.

# Envoyer une photo ou une vidéo par message

❶ Affichez la photo.

❷ Touchez ⬆️.

❸ Touchez **Envoyer par courrier** pour créer un e-mail avec la photo ou la vidéo en pièce jointe.

❹ Touchez **Messages** pour envoyer un message contenant la photo ou la vidéo.

❺ Un courrier ou un message avec la photo attachée en pièce jointe est préparé : vous n'avez plus qu'à le compléter et à l'envoyer.

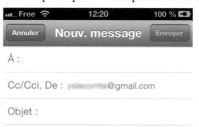

Lorsqu'un album est affiché, touchez **Modifier** pour sélectionner plusieurs photos. Vous pourrez alors les manipuler par groupes et envoyer jusqu'à 5 photos dans un même courrier.

# Partager une photo grâce au flux de photos iCloud

Grâce au nouveau flux de photos, partagez instantanément vos photos avec vos proches ou sur une Apple TV, *via* la connexion Internet de l'iPhone.

❶ Affichez la photo.

❷ Touchez .

❸ Touchez **Flux de photos** pour partager votre photo en ligne avec un ou plusieurs contacts, *via* les flux de photos iCloud. Indiquez les contacts de votre carnet d'adresses concernés et un nom pour le flux, puis touchez **Suivant**.

❹ Touchez le bouton **Publier**.

> **NOTE**
> Vous pouvez rendre le flux de photos public sur iCloud.com afin de partager les photos avec d'autres contacts. Activez l'option **Site Web public** dans la fenêtre **Flux de photos**. Notez que vos flux de photos partagés ne sont pas comptabilisés dans votre stockage iCloud.

# *Publier une photo sur Twitter ou Facebook*

❶ Affichez la photo.

❷ Touchez 📤.

❸ Touchez **Twitter** pour publier un tweet avec la photo en pièce jointe.

❹ Touchez **Facebook** pour publier la photo en tant que mise à jour de votre statut Facebook.

---

Consultez le chapitre 7, consacré à Twitter et Facebook, pour plus d'infor-  mations sur la publication de photos sur les réseaux sociaux depuis l'iPhone.

# Attribuer une photo à un contact

**❶** Affichez la photo.

**❷** Touchez  ▸ **Assigner à un contact**.

**❸** Votre liste de contacts s'affiche. Défilez pour atteindre le contact de votre choix et touchez son nom.

**❹** Repositionnez ou recadrez éventuellement la photo.

**❺** Touchez **Choisir**.

**❻** La photo est associée au contact.

# Utiliser une photo comme fond d'écran

**①** Affichez la photo.

**②** Touchez ⬆ ▸ **Utiliser en fond d'écran**.

**③** Repositionnez ou recadrez éventuellement la photo.

**④** Touchez **Définir**.

**⑤** Choisissez si la photo doit servir de fond d'écran pour l'iPhone verrouillé, pour l'écran d'accueil ou les deux.

**⑥** La photo est définie en tant que fond d'écran.

**⑦** Appuyez sur le bouton **Accueil** pour voir le fond de l'écran d'accueil.

**⑧** Appuyez sur le bouton de démarrage pour voir le fond de l'écran verrouillé.

 Pour utiliser une photo trouvée sur le Web, dans Safari, appuyez longuement sur une image puis touchez **Enregistrer l'image**. L'image est sauvegardée dans votre bibliothèque de photos. Suivez ensuite la procédure décrite ci-dessus pour l'utiliser en fond d'écran.

# Imprimer une photo

À condition de posséder une imprimante compatible avec l'iPhone, vous pouvez imprimer vos photos directement depuis l'iPhone.

❶ Affichez la photo.

❷ Touchez 🔄 ▸ **Imprimer**.

❸ Sélectionnez l'imprimante.

❹ Indiquez le nombre de copies.

❺ Touchez **Imprimer**.

# Publier des vidéos sur YouTube

Vous pouvez publier directement des vidéos depuis votre iPhone sur le plus célèbre site de partage de vidéos : **YouTube**.

**1** Affichez la vidéo.

**2** Touchez 📤 ▸ **Envoyer sur YouTube**.

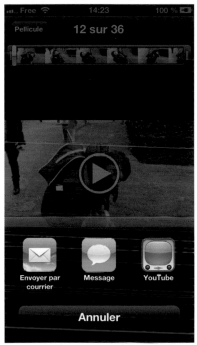

**3** Saisissez votre identifiant et mot de passe YouTube.

**4** Saisissez les informations demandées : titre, description, mots-clés et catégorie.

**5** Choisissez une qualité de diffusion pour la vidéo : standard ou HD (haute définition). Une vidéo HD sera bien entendu plus qualitative, mais son téléchargement sera plus long.

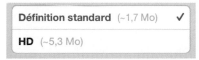

**6** Choisissez le mode de diffusion de la vidéo en bas d'écran : **publique**, **non listée** (c'est-à-dire accessible uniquement pour ceux à qui vous aurez donné le lien) ou **privée** (uniquement accessible à certains utilisateurs que vous aurez choisis).

❼ Touchez **Publier**.

❽ À la fin de l'opération, vous pouvez immédiatement créer un message pour informer vos proches de la publication de la vidéo et leur envoyer un courrier électronique avec un lien vers **YouTube**.

Vous devez posséder un compte **YouTube** (rendez-vous sur www.youtube.fr pour créer un compte gratuitement). Attention : il n'est pas possible de publier avec votre iPhone des vidéos dont la durée dépasse dix minutes sur **YouTube**.

Cette fonctionnalité reste disponible malgré la suppression de YouTube des applications « de base » de l'iPhone, même si vous n'avez pas téléchargé l'application sur l'App Store. Consultez le chapitre 10 pour plus d'informations.

# Publier des photos sur un blog depuis l'iPhone

Plusieurs applications permettent d'alimenter un blog ou un site de partage de photos depuis l'iPhone, en complément ou en alternative de la nouvelle fonctionnalité **Flux de photos**.

❶ **Posterous** est une plateforme de blogs qui permet de créer et d'alimenter un blog, avec tout type de contenus – textes, photos et vidéos – depuis l'iPhone grâce à l'application du même nom. Une deuxième application, nommée **PicPosterous**, permet d'alimenter spécifiquement votre blog en photos et en vidéos.

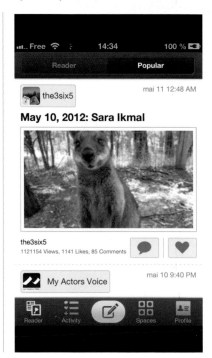

❷ L'application iPhone **Flickr** permet de publier vos propres images sur le célèbre site de partage de photos.

❸ Avec **Instagram**, le réseau social à la mode uniquement accessible depuis un iPhone, prenez une photo, appliquez un effet et partagez !

# Transférer les photos depuis l'ordinateur

L'iPhone permet de prendre des photos et de les visualiser. Mais saviez-vous que vous pouvez aussi *copier* sur votre iPhone des photos prises avec n'importe quel appareil photo numérique ? Il suffit en effet de les transférer depuis votre ordinateur.

À l'opposé, vous pouvez *récupérer* toutes les photos prises avec votre iPhone sur un ordinateur.

Le transfert de photos depuis votre ordinateur vers l'iPhone s'effectue à l'aide d'iTunes.

❶ Lancez **iTunes** et connectez l'iPhone à votre ordinateur.

❷ Cliquez sur **iPhone** dans la section **Appareils** de la barre à gauche.

❸ Cliquez sur l'onglet **Photos**.

❹ Activez l'option **Synchroniser les photos**.

❺ Choisissez le dossier contenant vos photos sur votre ordinateur.

❻ Cliquez sur le bouton **Appliquer** et patientez pendant que les photos sont optimisées et transférées sur l'iPhone.

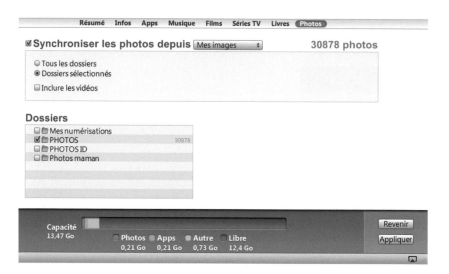

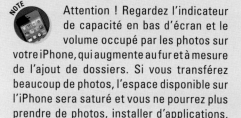

**7** À la fin, vous pouvez déconnecter l'iPhone.

**8** Utilisez l'application **Photos** pour visualiser les photos transférées.

**NOTE** Attention ! Regardez l'indicateur de capacité en bas d'écran et le volume occupé par les photos sur votre iPhone, qui augmente au fur et à mesure de l'ajout de dossiers. Si vous transférez beaucoup de photos, l'espace disponible sur l'iPhone sera saturé et vous ne pourrez plus prendre de photos, installer d'applications, *etc.*

# Transférer des photos vers l'ordinateur

Télécharger les photos et vidéos vers votre ordinateur est chose simple, car l'iPhone se comporte exactement comme n'importe quel appareil photo lorsque vous le connectez à un ordinateur.

**1** Connectez l'iPhone à l'ordinateur à l'aide du câble USB fourni.

**2** Sur Mac, sélectionnez les photos souhaitées, puis **Importer** ou **Télécharger dans iPhoto**.

**3** Sur PC, choisissez **Importer les images** ou **Ouvrir l'appareil mobile** pour importer les fichiers.

**4** Les photos se trouvent dans le dossier **Internal Storage/DCIM**, éventuellement organisé lui-même en sous-dossiers.

**5** Vous pouvez les trier, les regrouper, et les copier vers vos dossiers d'images sur l'ordinateur. Vous pouvez aussi les effacer, mais attention, toute suppression est définitive.

Sachez tout de même que lorsque vous effectuez une sauvegarde de l'iPhone à l'aide d'iTunes, vos photos sont sauve- gardées elles aussi. Il est néanmoins recommandé de sauvegarder vos photos de temps à autre sur votre ordinateur.

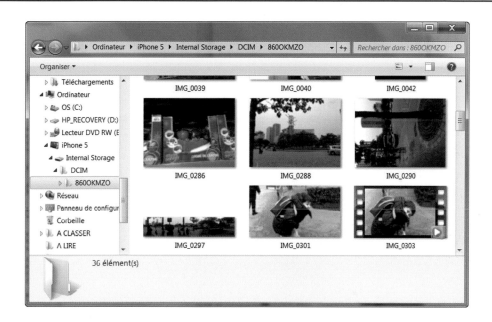

# Transférer des photos sans iTunes avec Photo Transfer App

Il faut impérativement utiliser le logiciel iTunes sur un ordinateur (Mac ou PC) pour transférer vos photographies. L'application **Photo Transfer App** simplifie cette tâche fastidieuse. Elle utilise votre connexion Wi-Fi pour transférer des photos et vidéos de courte durée depuis votre iPhone vers votre ordinateur et inversement.

❶ Avant toute chose, sachez que l'iPhone doit être connecté à Internet en Wi-Fi.

❷ Les boutons **Receive** et **Send** permettent respectivement de recevoir et d'envoyer des photos vers l'ordinateur.

❸ En mode « réception », l'application indique l'adresse spéciale à utiliser pour transférer vos photos. Vous devez la saisir dans la barre d'adresse d'un navigateur Web sur l'ordinateur ciblé.

**Photo Transfer App**

This page was generated by your device. Please **keep the app running** on your device to continue using it.
Please **do not bookmark** this address. Always use the address that appears on your device to access this page.

**0 photos are ready to be downloaded to your PC** | Refresh ♺

Follow the instructions given on your device to choose the photos you want to download to your PC

**Upload photos and videos from this computer to your device:**

Upload photos ...

Upload videos ...

☆ **Hint:** We recommend to keep the number of photos stored on your iPad below 500 to avoid any performance issues.
☆ **Hint 2:** Videos need to be in .MOV or .M4V format to be uploaded to the iPad

**Follow us on Facebook:**  J'aime  2000 | **Twitter:**  Tweet  89

About this application | Other apps by ERCLab
We appreciate your reviews in iTunes about this application
Contact us if you have any questions: support@phototransferapp.com

❹ Touchez **Upload photos** ou **Upload vidéos** et sélectionnez les photos ou vidéos à transférer parmi vos documents.

❺ Cliquez sur **Ouvrir**.

❻ Le transfert débute immédiatement

❼ À la fin du transfert, un message s'affiche sur l'iPhone : les photos ont été enregistrées dans votre bibliothèque d'images.

❽ Pour transférer des photos et vidéos depuis votre iPhone vers un ordinateur, touchez **Send** en haut à gauche de la fenêtre de **Photo Transfer App**.

❾ Touchez le bouton **Select Photos and Videos**. Votre bibliothèque de photos s'affiche.

❿ Touchez successivement les photos à transférer pour les sélectionner. À la fin, touchez **Done**.

⓫ De retour sur votre ordinateur, affichez à nouveau la page dont l'application vous indique l'adresse.

⓬ Vos photos sont prêtes pour le téléchargement. Pour télécharger individuellement une photo, cliquez sur le lien **Medium res** (téléchargement en résolution moyenne) ou **Full res** (téléchargement en haute résolution).

**13** Pour télécharger une archive au format ZIP contenant toutes les photos, en une seule fois, cliquez sur **Download all photos as zip file in Full resolution** (téléchargement en haute résolution) ou **Medium resolution** (résolution moyenne).

 **Photo Transfer App** permet aussi d'échanger des images entre deux appareils Apple : iPod touch, iPhone et iPad. Pour cela, l'application doit être installée et lancée sur les deux appareils.

## Photo Transfer App

This page was generated by your device. Please **keep the app running** on your device to continue using it. Please **do not bookmark** this address. Always use the address that appears on your device to access this page.

**3 photos are ready to be downloaded to your PC** | Refresh ♻

**Photos:**

### Download all photos as zip file in Full resolution **or Medium resolution**

☆ **Hint:** Right-click the link and choose 'Save target as...' or 'Save linked file as...' to specify where to save the zip file.

IMG_1000000009.JPG
Medium res | Full res

IMG_1000000008.JPG
Medium res | Full res

IMG_1000000007.JPG
Medium res | Full res

# Chapitre 9

# Musique

**Dans ce chapitre :**

▶ Remplir la bibliothèque de musiques

▶ Acheter de la musique

▶ Transférer votre musique depuis votre ordinateur

▶ Importer le contenu d'un CD

▶ Écouter de la musique

▶ Contrôler la lecture de la musique

▶ Interrompre rapidement la musique

▶ Contrôler la musique avec les écouteurs

▶ Écouter la radio sur l'iPhone

▶ Obtenir de la musique en téléchargement légal avec Spotify

*D*ans ce chapitre, vous découvrirez comment transférer votre musique sur l'iPhone pour la transporter avec vous et pouvoir l'écouter à tout moment. Vous apprendrez à contrôler et interrompre la musique. Vous verrez aussi comment écouter la radio (qui manque par défaut à l'iPhone) ou encore télécharger de la musique légalement avec **Spotify**.

# Remplir la bibliothèque de musiques

Il existe deux façons de remplir votre iPhone avec de la musique et des vidéos.

- **Acheter** des morceaux ou des albums complets et des films ou séries TV sur l'iTunes Store, la boutique en ligne, directement depuis l'iPhone.

- **Transférer** votre musique et vos vidéos depuis un ordinateur. Cette opération de transfert a un côté fastidieux, exigeant la création de bibliothèques dans le logiciel iTunes sur ordinateur, puis la connexion et la synchronisation de l'iPhone.

 Grâce à iCloud, un élément acheté avec iTunes depuis n'importe quel appareil Apple sera disponible sur tous vos appareils : iPhone, iPod touch, iPad.

# Acheter de la musique

Si vous avez déjà installé iTunes et créé votre compte, vous pouvez explorer l'iTunes Store et télécharger du contenu (majoritairement payant). L'iTunes Store utilise les mêmes informations de compte et de paiement que l'App Store.

❶ Touchez l'icône **iTunes Store** sur l'écran d'accueil et saisissez vos identifiants iTunes pour vous connecter.

❷ Vous pouvez alors explorer l'iTunes Store par classements ou par thèmes, effectuer une recherche par mots-clés, *etc.* Touchez l'un des boutons en bas de la fenêtre pour accéder aux différents rayons Musique, Films et Séries TV de l'iTunes Store. Vous pouvez aussi saisir un mot-clé (titre, nom d'artiste, *etc.*) dans le champ de recherche en haut à droite.

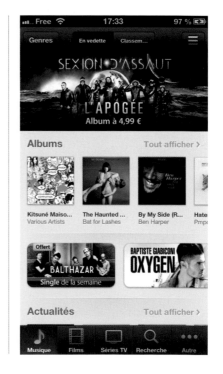

_____ **Chapitre 9 : Musique**

❸ Pour acheter un élément, touchez le bouton **Acheter** (pour télécharger un album complet) ou le bouton indiquant le prix (pour télécharger un seul titre). Cet élément vous sera immédiatement facturé.

❹ Lorsque vous avez déjà acheté un élément, le bouton est grisé et porte la mention **Acheté**.

❺ Patientez pendant le téléchargement de l'album ou du morceau dans votre bibliothèque de musique. À la fin de l'opération, les éléments apparaissent dans la section **Achats** d'iTunes.

# Transférer votre musique depuis votre ordinateur

Pour transférer votre musique depuis un ordinateur, vous devez d'abord créer une bibliothèque dans iTunes puis synchroniser l'iPhone, c'est-à-dire y copier à l'identique le contenu de cette bibliothèque.

❶ Sur votre ordinateur, lancez le logiciel iTunes puis cliquez sur **Fichier ▸ Ajouter le dossier à la bibliothèque**.

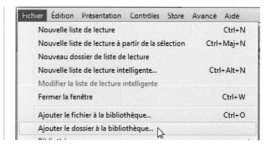

**②** Cliquez sur **Sélectionner un dossier**. Pour importer la totalité de la musique se trouvant sur votre ordinateur, sélectionnez le dossier **Musique** en entier.

**③** Patientez pendant qu'iTunes ajoute les fichiers sélectionnés à votre bibliothèque de musique.

**④** À la fin de l'opération, vous pourrez voir vos morceaux de musique dans la bibliothèque **Musique** d'iTunes.

**⑤** Pour synchroniser la musique, connectez l'iPhone à votre ordinateur à l'aide du câble fourni.

**⑥** Patientez quelques instants, jusqu'à voir « iPhone » apparaître dans la section **Appareils** de la barre à gauche. Cliquez sur **iPhone**.

**⑦** Cliquez sur l'onglet **Musique**.

**⑧** Activez l'option **Synchroniser la musique**.

**⑨** Si c'est la première fois que vous synchronisez la musique, sélectionnez **Toute la bibliothèque musicale**.

**⑩** Cliquez sur **Appliquer**.

**⑪** Patientez pendant la synchronisation. Vous pouvez ensuite déconnecter l'iPhone.

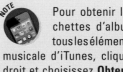

Pour obtenir les images des pochettes d'albums : sélectionnez tous les éléments de la bibliothèque musicale d'iTunes, cliquez avec le bouton droit et choisissez **Obtenir les illustrations d'album**.

# *Importer le contenu d'un CD*

Si les morceaux à transférer sur votre iPhone ne sont pas déjà convertis au format MP3 sur votre ordinateur, mais sur un CD audio, utilisez iTunes pour les importer.

**1** Lancez iTunes.

**2** Insérez le CD audio dans le lecteur de votre ordinateur.

**3** iTunes reconnaît le média et vous propose de l'importer dans votre bibliothèque de musique. Cliquez sur **Oui**.

**4** Patientez pendant qu'iTunes effectue en une même opération l'importation et la conversion des pistes musicales dans votre bibliothèque.

**5** À la fin de la copie, synchronisez la bibliothèque de musique pour copier son contenu sur votre iPhone.

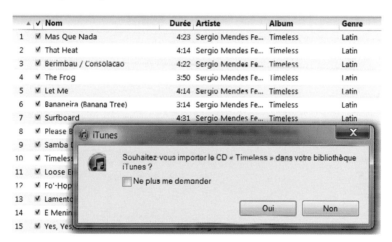

# Écouter de la musique

Pour écouter de la musique, vous devez utiliser l'application **Musique** de votre iPhone.

**1** Lancez l'application **Musique**. Votre bibliothèque de musique apparaît.

**2** Pour sélectionner un titre et l'écouter, explorez votre collection de musique ou recherchez un morceau : touchez **Artistes** ou **Morceaux** pour voir la musique classée par interprètes ou par titres, touchez **Listes** pour accéder à vos listes de lecture ou **Autre** pour voir la musique classée par albums, compilations, compositeurs ou genre, livres audio et podcasts.

**3** Touchez le champ de recherche pour faire une recherche en saisissant des lettres contenues dans le titre, le nom de l'album ou de l'artiste. Si le champ **Recherche** n'est pas visible, touchez deux fois rapidement la barre d'état pour le faire apparaître.

**4** Pour lancer la lecture aléatoire de tous les titres ou d'un album, touchez **Aléatoire**.

**5** Pour lire un morceau ou un album de votre choix, touchez son nom.

**6** La musique démarre.

> **NOTE**
> Vous pouvez aussi lancer **Musique** grâce aux commandes spéciales : touchez rapidement deux fois de suite le bouton **Accueil** puis faites glisser vers la droite. En plus de l'icône de l'application **Musique**, des boutons permettent de contrôler la lecture de la musique.

# Contrôler la lecture de la musique

Utilisez l'écran tactile pour contrôler la musique.

**①** Touchez **‖** pour interrompre/reprendre la lecture.

**②** Touchez **◄◄** pour redémarrer le morceau ou revenir au morceau précédent (touchez deux fois rapidement).

**③** Touchez **►►** pour passer au morceau suivant.

**④** Touchez **▢** pour activer **AirPlay** et diffuser la vidéo sur un autre périphérique **AirPlay**, une Apple TV ou votre Freebox, par exemple.

**⑤** Touchez **◄** pour quitter la lecture et revenir à la liste des morceaux.

**⑥** Touchez **☰** pour afficher les morceaux de l'album ou de la liste de lecture.

**⑦** Faites glisser le curseur en bas d'écran pour contrôler le volume de la musique.

**⑧** Faites glisser le curseur en haut d'écran pour avancer ou revenir en arrière dans le morceau en cours de lecture.

**⑨** Touchez le bouton **⟳** pour activer la lecture en boucle du morceau.

**⑩** Touchez le bouton **⤬** pour activer la lecture aléatoire de la liste ou de l'album en cours de lecture.

# Interrompre rapidement la musique

**1** Lorsque la lecture d'un morceau est en cours, appuyez sur le bouton **Accueil** pour quitter l'application et utiliser votre iPhone normalement.

**2** La lecture ne s'interrompt pas et le symbole ▶ est visible dans la barre d'état.

**3** En veille, l'iPhone affiche le titre et la pochette du titre lu.

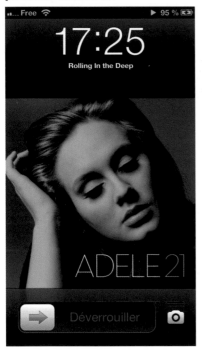

**4** Pour interrompre la lecture, appuyez rapidement deux fois sur le bouton **Accueil** et touchez ‖.

**5** Vous pouvez aussi déverrouiller l'iPhone, relancer **Musique** et toucher ‖.

 **NOTE** Enfin, même lorsque vous utilisez l'iPhone et qu'une application est en cours, vous pouvez contrôler la musique grâce aux commandes spéciales : appuyez rapidement deux fois de suite sur le bouton **Accueil** et faites glisser vers la droite pour les afficher.

# Contrôler la musique avec les écouteurs

Si vous utilisez les écouteurs de l'iPhone, vous pouvez aussi contrôler la musique sans toucher l'écran.

**1** Modifiez le volume à l'aide des boutons de volume des écouteurs.

**2** Appuyez sur le bouton central des écouteurs pour interrompre et reprendre la lecture.

**3** Appuyez deux fois de suite rapidement sur le bouton central des écouteurs de l'iPhone pour passer au morceau suivant.

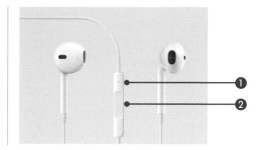

# Écouter la radio sur l'iPhone

Vous le savez peut-être : il n'y a pas de tuner pour écouter la radio sur l'iPhone. Heureusement, il existe des applications pour cela. La plus complète et la plus efficace d'entre elles est sans conteste **allRadio**.

**1** Rendez-vous sur l'App Store et effectuez une recherche par mot-clé. Téléchargez l'application **allRadio**.

**2** Une fois installée, lancez l'application. La plupart des grandes radios françaises sont présentes (plus de 500 stations), mais l'application donne aussi accès à plus de 8 000 radios du monde.

**3** **allRadio** permet aussi d'ajouter n'importe quelle radio en spécifiant l'URL du flux à écouter.

**4** Très performant, son système de mise en mémoire permet d'éviter les coupures de réception. Touchez le bouton **Lecture/Play** pour écouter la radio choisie.

**5** Faites pivoter l'iPhone d'un quart de tour : l'application **allRadio** fait aussi office de réveil numérique.

Si vous écoutez souvent une radio en particulier, il peut être judicieux de télécharger l'application dédiée de cette station (la grande majorité des radios françaises offrent une application iPhone gratuite). Les applications permettant d'écouter la radio utilisent la connexion Internet de l'iPhone.

# Obtenir de la musique en téléchargement légal avec Spotify

Et si vous téléchargiez légalement de la musique ? C'est ce que propose l'application officielle de **Spotify**, le service d'écoute et de téléchargement de musique à la demande le plus connu sur Internet à l'heure actuelle.

❶ Rendez-vous sur l'App Store et effectuez une recherche par mot-clé. Téléchargez l'application **Spotify**.

❷ Attention : contrairement au service **Spotify** pour ordinateur, pour accéder à la musique sur votre iPhone ou iPad, vous devrez souscrire un abonnement payant appelé **Spotify Premium** (rendez-vous sur www.spotify.com pour plus d'informations). Le tarif reste raisonnable compte tenu de la qualité du service offert.

❸ L'application est particulièrement simple d'utilisation et, en quelques secondes, vous trouverez et écouterez les titres de vos artistes favoris. Touchez un titre pour l'écouter.

❹ L'écran de contrôle de la musique ressemble beaucoup à celui de l'application **Musique** de l'iPhone.

 Une autre application intéressante si vous aimez la musique : **Discovr Music**. Son but est de vous permettre de découvrir de nouveaux artistes, en fonction de vos goûts. Son interface graphique, originale et brillante, la rend captivante. Les artistes sont présentés sous la forme d'un graphique fait de bulles, qui évolue selon vos pérégrinations.

# Chapitre 10

# Films et vidéos

**R**egarder des vidéos sur l'iPhone peut se faire de plusieurs façons. Vous pouvez transférer vos vidéos personnelles depuis un ordinateur ou en acheter sur l'iTunes Store, puis utiliser l'application **Vidéos** pour les visualiser. Vous pouvez aussi explorer **YouTube**. Vous découvrirez par ailleurs dans ce chapitre qu'il existe des applications pour lire les vidéos dont le format n'est pas supporté par l'application **Vidéos**, ou encore la manière de diffuser des films sur un téléviseur depuis l'iPhone.

# *Acheter des films*

Vous pouvez remplir votre bibliothèque de vidéos en acquérant des films ou séries TV sur l'iTunes Store. Les vidéos sont disponibles à la location (pour une durée limitée) et/ou à l'achat (définitif).

**❶** Touchez **iTunes** sur l'écran d'accueil de votre iPhone.

**❷** Touchez **Films**.

**❸** Explorez la boutique de vidéos.

**❹** Lorsqu'une vidéo vous intéresse, affichez sa fiche détaillée.

**❺** Touchez une vignette d'aperçu sous **Bandes-annonces** pour visionner un passage ou la bande-annonce du film sélectionné.

**❻** Pour louer le film, touchez le bouton indiquant le prix de la location suivi de **Louer**. Pour l'acheter, touchez le bouton indiquant le prix suivi de la mention **Acheter**.

 **NOTE** Lorsque vous louez ou achetez un film, celui-ci est disponible et visionnable sur tous vos appareils Apple : votre iPhone, bien sûr, mais aussi une Apple TV, un iPad ou iPod touch utilisant le même compte utilisateur iTunes.

# Quelle est la durée d'une location de vidéo sur iTunes ?

Vous disposez de 30 jours à partir de la date de la location pour regarder votre film et 48 heures après le début du visionnage pour le terminer. Une fois le visionnage du film commencé, vous pouvez le regarder autant de fois que vous le souhaitez dans la période de 48 heures.

Une fois la durée de location expirée, le film est automatiquement supprimé de votre bibliothèque iTunes.

 Si vous ne regardez pas le film que vous avez loué, le film disparaît de votre bibliothèque iTunes au bout de 30 jours. Pour le visionner, vous devez le louer à nouveau.

# Acheter des séries TV

Des feuilletons « cultes » de votre jeunesse aux derniers épisodes en version originale des séries du moment aux États-Unis, un grand nombre de séries TV sont sur iTunes. Vous pouvez acheter une saison entière ou juste un épisode, au choix.

❶ Explorez la boutique en touchant **Séries TV** en bas d'écran.

**②** Affichez la fiche détaillée d'une série puis touchez le bouton indiquant le prix pour acheter la saison entière. Si vous avez déjà acheté un ou plusieurs épisodes d'une série, le prix global pour la saison concernée bénéficie automatiquement d'une réduction.

**③** Pour acheter un épisode spécifique, touchez la ligne indiquant son nom et son résumé, puis le bouton indiquant le prix.

> **NOTE** Vous pouvez acheter une saison entière avant même qu'elle n'ait été diffusée : le forfait comprend tous les épisodes actuels et futurs de la série pour l'année. Les épisodes à venir seront automatiquement téléchargés lorsque vous vous connecterez à iTunes avec votre iPhone.

# Transférer des vidéos

Pour transférer vos vidéos sur l'iPhone, vous devez d'abord créer votre bibliothèque de films dans iTunes.

**①** Cliquez sur **Fichier ▶ Ajouter le dossier à la bibliothèque**.

**②** Sélectionnez un dossier contenant des vidéos parmi vos documents.

❸ Patientez pendant qu'iTunes ajoute les fichiers sélectionnés à vos bibliothèques.

❹ Connectez l'iPhone à votre ordinateur à l'aide du câble fourni et cliquez sur **iPhone** dans la section **Appareils** de la barre à gauche.

❺ Cliquez sur l'onglet **Films**.

❻ Activez l'option **Synchroniser les films**.

☑ Synchroniser les f...

☑ Inclure automatiquement [ tous les       ⬦] films

❼ Cliquez éventuellement sur l'onglet **Séries TV** pour synchroniser les épisodes de série précédemment téléchargés.

❽ Activez l'option **Synchroniser les séries télévisées**.

☑ Synchroniser les séries télévisées                2 épisodes
☑ Inclure automatiquement [ tous les épisodes non visionnés  ⬦] [ de toutes les séries ]

❾ Cliquez sur le bouton **Appliquer** pour synchroniser votre iPhone.

 Les formats de fichiers vidéo pris en charge par l'iPhone sont le format MP4, ainsi que Vidéo H.264 et Motion JPEG (M-JPEG).

# Regarder des vidéos

Pour visionner les vidéos transférées sur votre iPhone ou achetées sur iTunes, vous devez utiliser l'application **Vidéos**.

❶ Lancez l'application **Vidéos**.

**❷** La liste de vos vidéos apparaît.

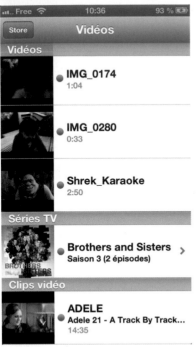

**❸** Pour lancer la lecture d'une vidéo, touchez son nom.

**❹** En cours de lecture, si les commandes sont masquées, touchez l'écran. Touchez à nouveau l'écran pour les masquer.

**❺** Utilisez les commandes pour contrôler la lecture de la vidéo.

**❻** Touchez ![icône] pour adapter la vidéo à la taille de l'écran.

**❼** Touchez ![icône] pour interrompre/reprendre la lecture.

**❽** Touchez ![icône] pour redémarrer la lecture au début (touchez) ou effectuer un retour rapide (touchez et maintenez).

**❾** Touchez ![icône] pour passer à la vidéo suivante (touchez) ou effectuer une avance rapide (touchez et maintenez).

**❿** Faites glisser le curseur en haut d'écran pour avancer dans la vidéo ou revenir en arrière.

**⓫** Faites glisser le curseur en bas d'écran pour contrôler le volume de la vidéo.

**⓬** Touchez ![icône] pour activer **AirPlay** et diffuser la vidéo sur un autre périphérique **AirPlay**, une Apple TV ou votre Freebox, par exemple.

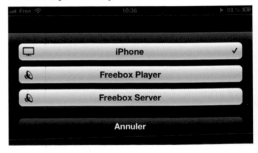

**⓭** Touchez ![ok] pour quitter la lecture et revenir à la liste des vidéos.

**NOTE** Si vos vidéos ne sont pas dans un format pris en charge par l'iPhone, deux solutions : les convertir (à l'aide d'un logiciel comme **Super**) ou utiliser une application pour résoudre le problème. Consultez la section « Transférer et lire des vidéos sans les convertir avec AVPlayer » plus loin dans ce chapitre.

# Supprimer une vidéo

Pour supprimer manuellement une vidéo synchronisée, louée ou achetée, faites glisser horizontalement sur la ligne d'aperçu dans **Vidéos** et touchez **Supprimer**.

Les vidéos louées sont automatiquement supprimées après la péremption du délai de location.

# Où est passée l'application YouTube ?

Avec le passage à iOS 6, peut-être aurez-vous remarqué la disparition pure et simple de l'application YouTube de l'iPhone ? Autrefois incontournable parmi les applications « de base » de l'iPhone, YouTube a désormais tout simplement été supprimée.

Apple affirme ainsi sa volonté de ne plus mettre en avant ou même utiliser les produits Google, dont YouTube fait partie (c'est aussi le cas de **Plans** qui a été entièrement reconçue pour ne plus faire appel à Google Maps : consultez le chapitre 12 pour plus d'informations à ce sujet.)

L'application existe toujours bel et bien, mais il vous faudra la télécharger explicitement depuis l'App Store pour pouvoir l'utiliser. L'icône de l'application téléchargée est différente de l'icône de l'application anciennement fournie par défaut sur l'iPhone.

L'application elle-même offre une interface différente, plus esthétique et agréable à utiliser. La fonction principale reste toutefois la même : visionner les vidéos partagées sur YouTube.

Paradoxalement, vous pourrez toujours sans problème partager sur YouTube vos vidéos personnelles, prises depuis l'iPhone, comme cela a toujours été possible (et ce, sans nécessairement télécharger l'applica- tion YouTube). Il faut dire que les utilisateurs habi- tués à ce mode de diffusion auraient été très mécon- tents si Apple avait purement et simplement sup- primé cet outil !

# Télécharger l'application YouTube

❶ Touchez l'icône **App Store**.

❷ Touchez le bouton **Recherche** en bas d'écran.

❸ Saisissez **YouTube** dans la zone de recherche puis touchez **YouTube** dans la liste de suggestions.

❹ Touchez le bouton **Installer** dans la fiche détaillée de l'application YouTube.

❺ L'application s'installe et son icône apparaît sur l'écran d'accueil de votre iPhone.

# Explorer YouTube

L'application YouTube remplace l'application « de base » autrefois disponible par défaut sur l'iPhone. Il faut impérativement une connexion Internet pour y accéder.

❶ Lancez l'application **YouTube**.

❷ L'application s'ouvre sur l'accueil de YouTube.

❸ Touchez le bouton ▤ pour accéder au menu de l'application : suggestions, classements par catégories et connexion à votre compte YouTube.

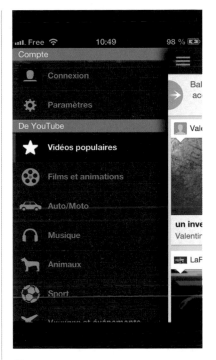

❹ Pour utiliser la recherche par mots-clés, touchez le bouton 🔍 en haut à droite de l'écran.

❺ Saisissez un ou plusieurs mots-clés décrivant la vidéo recherchée.

❻ Touchez une suggestion ou le bouton **Rechercher**.

**❼** La liste des résultats apparaît.

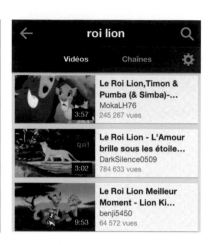

# *Regarder et contrôler une vidéo YouTube*

**❶** Touchez une vignette pour lancer la lecture de la vidéo correspondante.

**❷** Le téléchargement de la vidéo commence. Dès qu'une partie suffisante de la vidéo a été téléchargée, la lecture débute.

**❸** Pour afficher la vidéo en plein écran, faites pivoter l'iPhone et passez en orientation paysage.

**4** En cours de lecture, si les commandes sont masquées, touchez l'écran. Touchez à nouveau l'écran pour les masquer. Utilisez ces commandes pour contrôler la lecture de la vidéo.

**5** Touchez ▶ pour interrompre/reprendre la lecture.

**6** Touchez ✛ pour adapter la vidéo à la taille de l'écran.

**7** Faites glisser le curseur en bas d'écran pour avancer dans la vidéo ou revenir en arrière.

**8** Touchez 🖼 pour activer **AirPlay** et diffuser la vidéo sur un autre périphérique **AirPlay**, une Apple TV ou votre Freebox, par exemple.

**9** Touchez  ▸ **Partager** pour partager la vidéo par e-mail, message, *via* Google+, Twitter ou Facebook.

**10** Touchez 🖼 pour ajouter la vidéo aux favoris ou à une liste de lecture.

**11** Touchez OK pour quitter la lecture et revenir à la liste des vidéos.

**12** Utilisez les boutons de l'iPhone pour contrôler le volume de la vidéo.

> **NOTE**
> Pour obtenir des informations sur **YouTube** et créer un compte personnel gratuitement, rendez-vous sur www.youtube.fr. Vous devrez ouvrir une session avec votre compte **YouTube** sur votre iPhone pour utiliser certaines fonctionnalités.

# Transférer et lire des vidéos sans les convertir avec AVPlayer

Convertir les vidéos dans un format reconnu par l'iPhone (le format le plus répandu, AVI, n'en faisant pas partie) puis effectuer une synchronisation est à la fois complexe et long. L'application AVPlayer vous épargnera ces manipulations : elle permet de transférer vos vidéos directement depuis votre ordinateur vers l'iPhone (par Internet) et intègre un lecteur capable de lire un très grand nombre de formats.

❶ Lancez l'application et touchez le bouton **Wi-Fi Transfer**.

❷ L'application indique l'adresse à saisir dans votre navigateur Web pour transférer vos vidéos.

❸ Sur votre ordinateur, lancez un navigateur Web et saisissez l'adresse fournie.

❹ Cliquez alors sur **Parcourir** et localisez la vidéo à transférer dans vos documents.

❺ Cliquez sur **Submit** pour lancer le transfert et patientez pendant que la vidéo est copiée sur votre iPhone *via* Internet.

❻ Une fois celui-ci terminé, touchez le bouton **Retour** en haut à gauche puis **Media Explorer** pour afficher votre bibliothèque de films.

❼ Touchez un titre pour lancer sa lecture.

**NOTE** Pour transférer rapidement plus d'une vidéo à la fois, utilisez l'option **Client FTP** (avec un logiciel gratuit comme **FileZilla** installé sur votre ordinateur).

# Diffuser la musique et les films sur d'autres appareils

Dans **Vidéos**, comme dans **Musique** et **YouTube**, le bouton permet d'activer **AirPlay**, la fonction qui diffuse le son ou l'image produite par l'iPhone sur un téléviseur HD, grâce à l'Apple TV.

❶ La diffusion sur un téléviseur exige que vous possédiez l'Apple TV de deuxième génération et que les deux appareils soient sur un même réseau Wi-Fi. Lancez la lecture de la musique ou de la vidéo.

❷ Touchez .

❸ Choisissez l'Apple TV comme destination.

❹ Le son ou la vidéo est diffusé sur le téléviseur de destination.

❺ Si vous possédez une box Internet compatible, comme la Freebox Révolution, vous pourrez aussi profiter d'**AirPlay** pour diffuser musique et vidéos sur votre téléviseur.

❻ L'option **Freebox Player** apparaîtra automatiquement dans le menu **AirPlay**.

> **NOTE** Si vous ne possédez ni Apple TV, ni Freebox, vous pouvez faire l'acquisition d'un câble spécial proposé par Apple autour de 40 €, permettant de relier votre iPhone à un téléviseur : l'adaptateur AV numérique d'Apple.

# La lecture sur l'iPhone

L a lecture sur l'iPhone est une expérience surprenante et agréable. Il y a plusieurs façons d'envisager la chose : les applications **iBooks** et **Kiosque** permettent respectivement de lire des livres électroniques et des magazines. Il existe aussi des applications spécifiques à un type d'ouvrages, comme **Ave!Comics** pour les B.D. et mangas.

# Télécharger l'application iBooks

**iBooks** n'est pas installée par défaut sur l'iPhone. Pour l'utiliser, vous devez donc la télécharger depuis l'App Store.

❶ Le téléchargement d'**iBooks** vous sera automatiquement proposé lorsque vous connecterez l'iPhone pour la première fois à iTunes ou lancerez l'application **Kiosque**. Au premier lancement de l'App Store, le téléchargement d'iBooks ainsi que des autres applications gratuites et optionnelles proposées par Apple (comme **Localiser mon iPhone** ou **Podcasts**) vous a peut-être aussi été proposé.

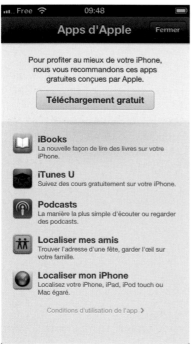

❷ Touchez simplement le bouton de confirmation pour accepter le téléchargement.

❸ À défaut, rendez-vous sur l'App Store et saisissez **iBooks** dans le champ de recherche, puis téléchargez l'application.

# Acheter des livres électroniques sur iBookStore

Il y a deux façons de remplir votre bibliothèque de livres électroniques : acheter des ouvrages dans la boutique **iBookStore** ou transférer des documents depuis votre ordinateur.

❶ Lancez l'application **iBooks**.

❷ Touchez **Store**.

❸ La librairie **iBookStore** s'ouvre : vous pouvez voir les livres en vedette du moment, mais aussi les thématiques et classements proposés par Apple.

❹ Touchez le bouton **Catégories** en haut d'écran pour filtrer les ouvrages selon un genre littéraire.

❺ Touchez **Auteurs** puis le nom d'un auteur pour voir ses ouvrages disponibles sur l'**iBookStore**.

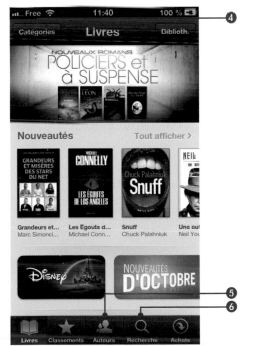

❻ Touchez **Recherche** pour rechercher un ouvrage selon un mot-clé : titre, auteur, *etc.*

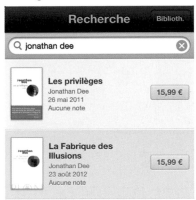

❼ Pour voir le détail d'un ouvrage, touchez sa couverture.

❽ Dans la fiche qui apparaît, vous pouvez consulter de nombreuses informations sur le livre : date de sortie, éditeur, nombre de pages, *etc.* Son prix s'affiche dans un bouton gris à droite de la vignette de couverture.

❾ Pour télécharger l'ouvrage, touchez ce bouton, puis **ACHETER LE LIVRE**. Pour les livres gratuits, touchez **Gratuit** puis **Obtenir le livre**.

❿ Patientez pendant le téléchargement du livre dans votre bibliothèque **iBooks**.

⓫ Recommencez pour télécharger autant de livres que vous le souhaitez. Les couvertures des ouvrages apparaissent sur les étagères de votre bibliothèque **iBooks**.

 De nombreux livres sont proposés gratuitement sur iBookStore, en particulier ceux appartenant au domaine public. Touchez **Classements** pour voir la liste. Par ailleurs, touchez **Extrait** dans la fiche d'un ouvrage pour télécharger gratuitement ses premières pages.

# Transférer vos livres électroniques

Autre solution pour remplir vos étagères de livres : transférez des livres électroniques présents sur votre ordinateur. **iBooks** fonctionne avec les livres au format ePub et sans DRM, c'est-à-dire sans « tatouage de protection ». **iBooks** est aussi capable de lire des fichiers Acrobat PDF.

❶ Préparez et localisez les documents sur votre ordinateur.

❷ Dans iTunes, sur l'ordinateur, cliquez sur **Fichier ▸ Ajouter le fichier à la bibliothèque**.

❸ Sélectionnez un ou plusieurs fichiers au format ePub ou PDF dans vos dossiers de documents.

❹ Cliquez sur **Ouvrir**.

❺ Patientez pendant qu'iTunes ajoute les fichiers sélectionnés à vos bibliothèques.

❻ À la fin de l'opération, vous pourrez voir vos livres dans la bibliothèque **Livres** d'iTunes.

❼ Connectez l'iPhone à votre ordinateur à l'aide du câble fourni.

❽ Cliquez sur **iPhone** dans la section **Appareils** de la barre à gauche.

❾ Cliquez sur l'onglet **Livres**.

**⑩** Activez l'option **Synchroniser les livres** puis sélectionnez **Tous les livres** ou **Livres sélectionnés**.

**⑪** Cliquez sur le bouton **Appliquer** en bas d'écran pour lancer la synchronisation. Patientez pendant la synchronisation.

**⑫** À la fin de l'opération, lancez **iBooks** et constatez que les livres figurent désormais dans votre bibliothèque.

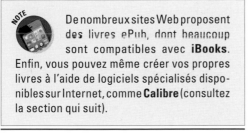
De nombreux sites Web proposent des livres ePub, dont beaucoup sont compatibles avec **iBooks**. Enfin, vous pouvez même créer vos propres livres à l'aide de logiciels spécialisés disponibles sur Internet, comme **Calibre** (consultez la section qui suit).

# Créer vos propres livres électroniques

Pour créer un livre électronique au format ePub, il vous faut tout d'abord un logiciel spécial, sur votre ordinateur, qui convertira le document original. Il en existe un particulièrement réputé et gratuit : **Calibre**.

**1** Pour le télécharger, rendez-vous sur la page Web dédiée au programme :

`http://calibre-ebook.com/download`

**2** Téléchargez le logiciel et installez-le sur votre ordinateur.

**3** À la fin de l'installation, cliquez sur **Finish** : **Calibre** se lance.

**4** Dans **Calibre**, cliquez sur **Ajouter** puis sélectionnez le document à convertir.

**5** Patientez pendant l'ajout du document à votre bibliothèque **Calibre**.

**6** Cliquez sur **Convertir**.

**7** Vous pouvez conserver les options de publication par défaut et cliquer sur **OK** pour lancer la conversion du document.

**8** À la fin de l'opération, cliquez sur **Chemin: Cliquez pour ouvrir** afin de lancer l'explorateur de fonctions et d'accéder au dossier dans lequel votre livre électronique au format ePub a été généré.

**9** Transférez le livre électronique créé dans votre bibliothèque **iBooks**, comme expliqué précédemment.

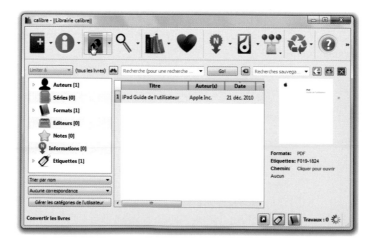

# Lire vos livres électroniques avec iBooks

**1** Affichez votre bibliothèque **iBooks**.

**2** Touchez la couverture d'un ouvrage pour l'ouvrir.

Un mariage ! Le premier d'une génération ; les futurs époux ont tout juste vingt-deux ans, ce qui est jeune pour l'époque. Leurs amis, pour la plupart, ont pris l'avion et sont arrivés hier, et Pittsburgh a beau compter un demi-million d'habitants, ils affectent, avec humour et snobisme, de se sentir désorientés, parce qu'ils viennent de New York et de Chicago, mais aussi parce que c'est le sentiment que leur inspire l'événement, sa nouveauté troublante et magique, comme s'ils se retrouvaient tout à coup au milieu de nulle part. Enfants ou adolescents, ils ont tous, évidemment, assisté au mariage d'un oncle ou d'un cousin, ou même dans certains cas de leur propre père ou mère, ils savent donc, à cet égard,

5 sur 47     Il reste 40 p.

**3** Lorsqu'un livre est affiché, touchez l'écran pour voir les commandes. Touchez à nouveau l'écran pour les masquer.

**4** En orientation portrait, une page s'affiche et remplit l'écran.

**5** Lorsque vous faites pivoter l'iPhone, la page occupe une largeur plus importante, ce qui peut sensiblement améliorer le confort de lecture.

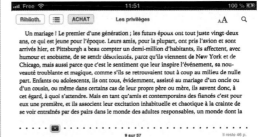

**6** Pour tourner les pages, touchez simplement le bord droit ou gauche d'une page. Vous pouvez aussi *feuilleter*, c'est-à-dire faire glisser le doigt rapidement de gauche à droite, pour faire tourner les pages.

❼ Pour atteindre une page spécifique, affichez les commandes puis touchez le curseur en bas d'écran.

❽ Faites glisser : le titre du chapitre ou le numéro de la page ciblée est affiché. Relâchez pour atteindre cette page.

❾ Pour afficher la table des matières, touchez le bouton ▤ . Touchez une entrée de la table des matières pour atteindre son emplacement dans le livre.

❿ Pour revenir à la page en cours, touchez **Retour**.

⓫ Vous pouvez copier, surligner, consulter la définition, annoter ou rechercher un mot à tout moment : touchez longuement le mot puis le bouton correspondant.

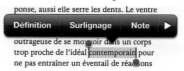

⓬ Si vous touchez **Bibliothèque** pour revenir à votre étagère, ou quittez **iBooks** en appuyant sur le bouton **Accueil**, la page courante est automatiquement enregistrée. Vous pourrez donc rouvrir le livre directement à cette page lorsque vous le souhaiterez.

>  **NOTE** N'oubliez pas que vous pouvez verrouiller l'orientation de l'écran. Lorsque vous lisez un livre, cela peut être très pratique, voire indispensable. Appuyez deux fois rapidement sur le bouton **Accueil** puis faites glisser vers la droite pour afficher les commandes de verrouillage de l'orientation.

# Ajuster l'affichage dans iBooks

Les commandes d'**iBooks** permettent d'ajuster l'affichage pour votre confort de lecture.

❶ Affichez les commandes en touchant l'écran.

❷ Pour modifier la luminosité, la taille ou la police des caractères, touchez le bouton **Caractères**.

❸ Faites glisser le curseur **Luminosité** pour ajuster la luminosité et le contraste de l'écran. Notez que ce réglage s'applique uniquement à **iBooks** et n'affecte pas la luminosité globale de l'iPhone.

❹ Touchez le bouton de gauche pour diminuer la taille du texte et le bouton de droite pour l'agrandir.

**❺** Touchez le bouton **Polices** pour choisir une autre police de caractères.

**❻** Touchez **Thème ▸ Sépia** pour afficher un fond de page légèrement teinté (le blanc pur d'un écran peut avoir tendance à gêner certains lecteurs).

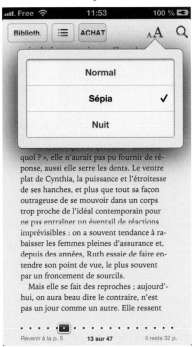

**❼** Touchez **Thème ▸ Nuit** pour afficher le texte en blanc sur un fond de page sombre (mode d'affichage optimisé pour un environnement peu éclairé).

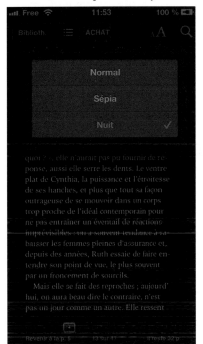

**❽** Touchez **Biblioth.** pour revenir à votre bibliothèque.

# Réorganiser la bibliothèque

Vous pouvez réorganiser votre bibliothèque **iBooks** et supprimer des livres à tout moment.

❶ Touchez **Modifier** en haut à droite de la bibliothèque.

❷ Sélectionnez des ouvrages en touchant leur couverture.

❸ Touchez **Déplacer** ou **Supprimer**.

**NOTE** Supprimer un ouvrage de la bibliothèque **iBooks** ne signifie pas que l'ouvrage sera définitivement effacé. Il sera en effet toujours présent dans votre bibliothèque de livres iTunes. Vous pourrez donc le réintégrer dans **iBooks** par la suite si vous le souhaitez.

# Lire des documents PDF sur l'iPhone grâce à iBooks

Le saviez-vous ? Bien que le stockage de documents sur l'iPhone ne soit pas possible, vous pouvez tout de même y transférer des documents PDF pour les lire tranquillement sur votre iPhone, quand vous le souhaiterez ! Vous devez avoir installé l'application **iBooks** au préalable (gratuitement disponible sur l'**App Store**).

❶ L'astuce est simple : elle consiste à vous envoyer à vous-même le document par courrier électronique.

À : yasmina.lecomte@yahoo.fr

**A lire**
19 octobre 2012 12:27

❷ Touchez ensuite la pièce jointe dans **Mail** pour l'ouvrir.

❸ Touchez le bouton 📤 ▸ **Ouvrir dans iBooks**.

❹ Le document s'ouvre dans iBooks.

**❺** Le document reste disponible, même hors connexion, dans votre bibliothèque **iBooks**, section **PDF**, qui offre un bien meilleur confort de lecture pour les PDF que **Mail**, d'ailleurs.

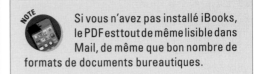

> **NOTE** Si vous n'avez pas installé iBooks, le PDF est tout de même lisible dans Mail, de même que bon nombre de formats de documents bureautiques.

## Acheter des magazines avec Kiosque

L'application **Kiosque** permet de télécharger et lire des magazines sur l'iPhone. Chaque magazine propose une application. Le téléchargement de ces applications est gratuit, c'est ensuite l'achat de chaque publication, au numéro, qui est facturé.

**❶** Touchez **Kiosque ▶ Store**.

**❷** Le kiosque s'ouvre. Touchez le titre d'une publication pour afficher sa fiche détaillée.

**❸** Touchez le bouton **Gratuit** puis **Installer l'app** pour télécharger le magazine.

**❹** Quittez la boutique pour revenir à l'écran d'accueil de l'iPhone et remarquez l'icône de **Kiosque**, qui affiche désormais les couvertures des publications.

**❺** Touchez un titre pour voir le contenu gratuit ou les numéros disponibles à l'achat.

**❻** Pour les publications payantes, comme *ELLE* ou *Première*, un système d'abonnement ou d'achat au numéro peut être proposé. Touchez le bouton indiquant le prix puis **Acheter** pour souscrire un abonnement ou acheter un numéro spécifique.

❼ Touchez ensuite une couverture pour parcourir la publication. Faites glisser les pages pour feuilleter le magazine et touchez l'écran pour afficher les commandes.

**NOTE**

Chaque magazine est en général présenté sous la forme d'une application. Certains contenus sont gratuits, mais dans la majorité des cas, si vous souhaitez consulter le magazine, vous devrez acheter une publication directement depuis l'application. C'est ce qu'on appelle « l'achat intégré » ou « *in-app purchase* ».

# Lire des bandes dessinées sur l'iPhone

**iBooks** et **Kiosque** ne sont pas les seuls outils disponibles pour lire sur l'iPhone. Des applications les complètent pour des besoins spécifiques, comme **Ave!Comics** pour la lecture de bandes dessinées.

❶ Téléchargez l'application **Ave!Comics** sur l'App Store.

❷ L'application suit le même mode de fonctionnement que l'**iBookStore** : parcourez les suggestions et classements, puis téléchargez un titre, payant ou gratuit, pour compléter votre bibliothèque. Vous devez au préalable créer un compte utilisateur ou vous connecter à l'aide de vos identifiants **Facebook**.

❸ Touchez une vignette pour afficher la fiche détaillée d'une B.D., puis le bouton **Gratuit** ou indiquant le prix et **Télécharger**.

❹ Lorsque vous touchez le bouton **Télécharger**, deux options apparaissent : **Lecture page** ou **Lecture animée**. La lecture animée utilise le format AVE, spécialement conçu pour la bande dessinée et les mangas. Il permet une expérience de lecture unique grâce à des cinématiques de lecture (parcours dans les pages) mêlant animations, transitions et zooms automatiques. Pour expérimenter ce concept, choisissez la lecture animée et patientez pendant le téléchargement.

❺ La lecture de l'ouvrage débute automatiquement à la fin du téléchargement. Touchez le bouton pour lancer la lecture animée.

❻ La zone de la page visible à l'écran se déplace alors automatiquement, et affiche les zones d'intérêt (bulles ou éléments dessinés) les unes après les autres. Les pages se tournent toutes seules une fois parcourues. À chaque fois, le temps de lecture est judicieusement prévu et la logique de navigation « naturelle » dans les pages est bien respectée.

❼ Si la lecture animée ne vous convient pas, vous pouvez toujours télécharger en mode **Lecture page** et ainsi lire vos B.D. de manière beaucoup plus classique : c'est vous qui décidez, du bout des doigts, où zoomer, vers où défiler et quand tourner la page.

 Avec plus de 500 B.D. disponibles depuis l'application, **Ave!Comics** est la bibliothèque de B.D. en français la plus importante disponible sur iPhone à l'heure actuelle. Chaque B.D. achetée depuis votre iPhone peut aussi être lue sur le site Web www.ave-comics.com, où vous retrouverez votre bibliothèque personnelle.

# Chapitre 12

# Se repérer avec l'iPhone

Grâce au GPS, l'iPhone vous localise précisément et fait de **Plans** l'un des outils les plus puissants de l'iPhone. **Plans** fournit par exemple votre position sur une carte ; précise votre orientation grâce à la boussole intégrée ; affiche un plan selon une adresse donnée ; propose des adresses de commerces et des photos panoramiques des rues ; calcule un itinéraire précis entre deux points ; ou encore offre des informations en temps réel sur le trafic. Vous découvrirez toutes ces facettes de l'application **Plans** dans ce chapitre.

# La nouvelle version de Plans

Entièrement repensée et transformée, l'application **Plans** livrée avec l'iPhone 5 (et disponible pour les anciennes versions de l'iPhone *via* la mise à jour iOS 6) surprendra plus d'un utilisateur. Il s'agit en effet d'une toute autre application que celle que vous avez connue jusqu'ici. Son interface est complètement différente et si elle présente des nouveautés enthousiasmantes, comme le survol de villes, il faut reconnaître que cette application conçue par Apple ne fait pas l'unanimité et présente à son lancement de nombreux bugs, qui ne devraient pas tarder à être corrigés.

Pourquoi l'application Plans a-t-elle été modifiée à ce point ? Tout simplement par souci pour Apple de ne plus faire appel, autant que possible, aux produits proposés par Google (dont les smartphones Android, concurrents directs de l'iPhone, sont équipés). C'était le cas de l'ancienne version de Plans, basée sur Google Maps, mais aussi de YouTube, par exemple (consultez le chapitre 10 pour plus d'informations à ce sujet).

 **NOTE** L'ancienne version de **Plans** offrait un affichage de photos panoramiques des rues avec **Google Street View**. Ce n'est hélas plus le cas avec la nouvelle version de l'application !

# Comment l'iPhone trouve-t-il votre position ?

Votre position géographique est déterminée à l'aide des informations des réseaux cellulaires, Wi-Fi et GPS (*Global Positioning System*) combinées, en fonction de leur disponibilité.

En fait, si les satellites GPS ne parviennent pas à vous détecter clairement, l'iPhone peut vous localiser *via* le Wi-Fi. À défaut d'un accès Wi-Fi, l'iPhone peut aussi utiliser les antennes relais des opérateurs de téléphonie mobile pour déterminer votre position (par un système appelé *triangulation*).

Cela explique donc pourquoi vous pouvez tout de même afficher votre position sur un plan qui aurait déjà été chargé (l'iPhone le garde en mémoire), et ce même sans connexion à Internet !

# Afficher un plan

Pour afficher un plan centré sur votre emplacement actuel :

**①** Lancez **Plans**.

**②** Touchez ⬈ en bas à gauche de l'écran.

**③** Le plan s'affiche et votre position actuelle est indiquée par un repère bleu. Si l'iPhone ne parvient pas à déterminer votre position de manière précise, un cercle bleu apparaît autour de votre position. Plus le cercle est petit, plus la précision est grande.

❹ Déplacez-vous : l'iPhone met à jour automatiquement le plan et votre emplacement, de façon qu'il reste au centre de l'écran.

 Si vous souhaitez que **Plans** continue à mettre à jour votre position, sans pour autant centrer le plan en conséquence, touchez à nouveau ⬆.

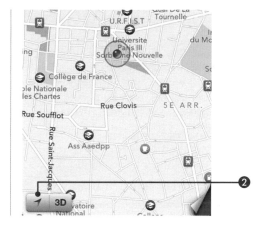

# *S'orienter grâce à Plans*

**Plans** permet aussi de vous orienter :

❶ Touchez à nouveau ⬆.

❷ **Plans** utilise alors la boussole intégrée pour déterminer votre direction. L'angle indique la précision de la boussole : plus il est fermé, plus la précision est grande.

❸ Touchez ⬇ pour revenir à l'affichage classique.

❹ Touchez ⬤ pour afficher le plan avec le nord en haut.

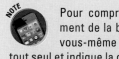 Pour comprendre le fonctionnement de la boussole : pivotez sur vous-même ! Le plan se met à jour tout seul et indique la direction face à vous.

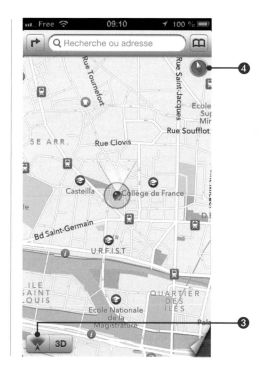

# Naviguer au sein d'un plan

La navigation dans **Plans** suit les mêmes
principes que pour toutes les applications
iPhone (vous zoomez et défilez à l'aide de la
technique habituelle). Il existe toutefois une
technique de zoom spécifique à **Plans** :

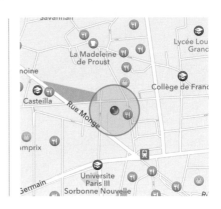

- Zoomez en avant sur une partie de la carte
  en touchant deux fois sur la partie sur
  laquelle vous souhaitez zoomer.

- Zoomez en arrière en touchant deux fois la
  carte *avec deux doigts*.

# Afficher un plan selon une adresse

❶ Touchez le champ **Recherche** ou
**Adresse** en haut d'écran.

❷ Saisissez l'adresse ou touchez un lieu
dans l'historique. Vous pouvez saisir une
adresse complète, mais aussi un nom de
lieu, une ville, une région ou un code postal.

❸ Touchez **Recherche**.

❹ Le plan de la zone recherchée s'affiche.

❺ Touchez l'épingle pour afficher le nom ou la description du lieu.

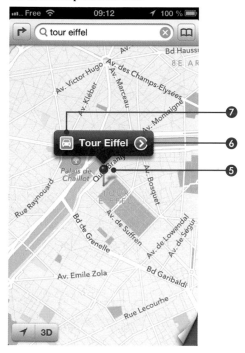

❻ Touchez ◉ pour voir la fiche détaillée.

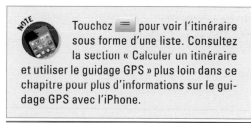

Touchez ≡ pour voir l'itinéraire sous forme d'une liste. Consultez la section « Calculer un itinéraire » et utiliser le guidage GPS » plus loin dans ce chapitre pour plus d'informations sur le guidage GPS avec l'iPhone.

❼ Touchez 🖼 pour lancer le guidage GPS de votre position actuelle vers ce lieu. Plusieurs itinéraires peuvent vous être proposés.

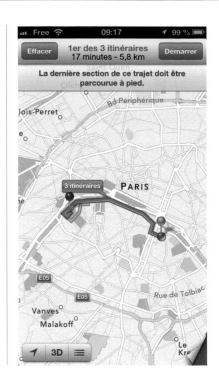

# Trouver un commerce et voir des avis avec Yelp

❶ Dans **Plans**, vous pouvez saisir un type de commerce : fleuriste, boulanger, restaurant, *etc.*, ou un nom de magasin. Touchez la zone de recherche et saisissez le type de commerce recherché.

❷ Touchez **Recherche**.

❸ Le plan de la zone recherchée s'affiche, avec les commerces du type souhaité signalés par une épingle. De nombreuses enseignes sont référencées et vous pouvez même voir les avis d'utilisateurs grâce à **Yelp**.

④ Touchez l'épingle pour voir la fiche complète du lieu.

⑤ Celle-ci affiche le nom, la description du lieu et les avis disponibles.

**NOTE** Touchez le bouton **Check-in** ou **Rédiger un avis** pour lancer l'application **Yelp** (ou la télécharger d'abord) et participer à ce site communautaire à votre tour.

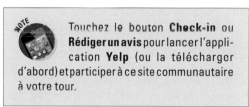

# Voir l'affichage satellite du plan

① Affichez un plan.

② Touchez le coin en bas à droite de l'écran.

③ Le menu d'options d'affichage apparaît.

❹ Touchez **Satellite** pour afficher une vue satellite.

❺ Touchez **Mixte** pour afficher un plan des rues associé à une vue satellite.

# Afficher la circulation en temps réel

❶ Affichez un plan.

❷ Touchez le coin en bas à droite de l'écran.

❸ Touchez **Circulation** pour voir les conditions de circulation.

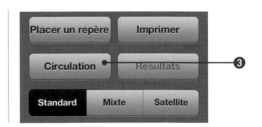

❹ La circulation s'affiche en temps réel à l'aide de codes couleur.

❺ Les travaux sur la voie publique sont indiqués par une icône spéciale.

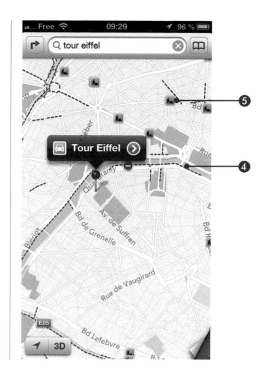

# Afficher une vue 3D en perspective

**Plans** offre une vue 3D en perspective pour améliorer le confort de navigation dans la carte.

❶ Affichez un plan. Le mode 3D est intéressant à combiner avec l'affichage satellite (touchez le coin en bas à droite de l'écran puis **Satellite** pour l'activer).

❷ Touchez le bouton 3D .

❸ La carte s'affiche en trois dimensions.

❹ Faites glisser vers le haut ou vers le bas du bout du doigt pour incliner le plan.

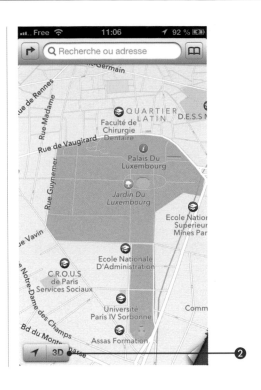

# Découvrir le survol 3D avec Flyover

Pour certaines grandes villes du monde, le mode spécial dit « Flyover » affiche les paysages urbains en mode 3D photoréaliste et interactif.

❶ Dans les villes couvertes par le nouvel outil de survol 3D Flyover, l'icône remplace l'icône 3D (zoomez jusqu'à la voir apparaître). Touchez pour activer le survol 3D Flyover.

**②** Zoomez et naviguez dans la vue panoramique 3D du bout des doigts.

**③** Touchez 🏙 à nouveau pour sortir du mode Flyover.

> **NOTE** À l'heure où ces lignes sont écrites, la seule ville de France couverte par le système Flyover est Lyon. Quelques autres grandes villes du monde sont disponibles : Barcelone, Milan, Copenhague, Londres, Birmingham et Manchester pour le Royaume-Uni, Sydney et Melbourne pour l'Australie, ainsi que plusieurs villes des États-Unis – Los Angeles, San Diego, Memphis, Denver, San Francisco, Las Vegas, Chicago, Miami, Seattle, Sacramento, Boston, Atlanta, Portland, Phoenix, la Nouvelle-Orléans et Philadelphie – et enfin, Montréal et Toronto au Canada. C3, la société rachetée par Apple et qui fournit ces cartes en 3D devrait également proposer Prague, Venise, Oslo et Vienne dans un futur proche.

# Calculer un itinéraire et utiliser le guidage GPS

**Plans** permet de calculer un itinéraire routier ou piéton entre deux adresses données. Une fois l'itinéraire affiché, lancez la fonction de guidage pour transformer votre iPhone en GPS !

**①** Touchez **↱**.

**②** Indiquez les lieux de départ et d'arrivée dans les champs correspondants.

**③** Par défaut, l'iPhone sélectionne le lieu actuel comme point de départ. Saisissez une adresse ou utilisez un signet pour définir les lieux de départ et d'arrivée. Vous pouvez toucher une suggestion dans la liste qui apparaît.

**④** Pour inverser les lieux de départ et d'arrivée de l'itinéraire, et ainsi obtenir rapidement l'itinéraire de retour, touchez **↺**.

**⑤** Choisissez le type d'itinéraire affiché : touchez **🚗** pour un itinéraire routier, **🚶** pour un itinéraire piéton et **🚌** pour un itinéraire en transports publics.

**⑥** Touchez **Itinéraire**.

**⑦** L'itinéraire est calculé et s'affiche.

**⑧** Si plusieurs itinéraires sont possibles, Plans vous le signale. Touchez un itinéraire pour le sélectionner.

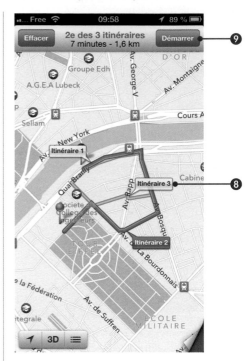

**⑨** Touchez le bouton **Démarrer** pour lancer le guidage audio.

**⑩** La fonction de guidage de Plans affiche l'itinéraire en 3D. Les panneaux et flèches sont affichés en surimpression. Si vous déviez de l'itinéraire prévu, Plans recalcule automatiquement les directions à prendre.

**⑪** Suivez les instructions. Touchez **Aperçu** pour revenir à l'itinéraire ou **Fin** pour mettre fin au guidage.

Vous pouvez aussi lancer le guidage GPS en affichant un lieu puis en touchant 🔲. Le guidage GPS de votre position actuelle vers ce lieu est calculé et démarre. Les instructions audio ne sont fournies que pour les itinéraires routiers.

# Afficher les étapes et la feuille de route

**❶** Touchez 🔁.

**❷** Indiquez les lieux de départ et d'arrivée dans les champs correspondants.

**❸** Touchez **Itinéraire**.

**❹** Pour afficher l'itinéraire détaillé sous la forme d'une liste, touchez ≡.

# Enregistrer vos lieux favoris

Dans **Plans**, les signets sont des emplacements que vous souhaitez retrouver facilement ou fréquemment, vos lieux favoris en quelque sorte. Vous pouvez aussi utiliser des repères pour enregistrer des emplacements de manière temporaire.

## Créer un repère

❶ Touchez le coin en bas à droite de l'écran puis **Placer un repère**.

❷ Une épingle apparaît sur le plan. Faites-la glisser vers l'endroit de votre choix.

❸ Une fois le repère placé, vous pouvez le déplacer en le touchant longuement puis en le faisant glisser.

❹ Relâchez l'épingle pour positionner le repère.

❺ Touchez ⊙ pour voir la fiche détaillée du lieu signalé par le repère.

## Ajouter un emplacement aux signets

❶ Placez un repère à l'endroit souhaité puis touchez ce repère.

❷ Touchez ⊙.

❸ Touchez **Ajouter aux signets**.

❹ Vous pouvez modifier le nom du signet pour le retrouver plus facilement.

❺ Touchez **Enregistrer**.

# Ajouter un lieu aux contacts

Autre option possible, enregistrer un lieu en tant que contact : c'est particulièrement intéressant pour les commerces, car les coordonnées complètes du lieu seront ainsi enregistrées dans votre carnet d'adresses.

❶ Utilisez la recherche par commerce et touchez un lieu (ou placez un repère à l'endroit souhaité puis touchez ce repère).

❷ Touchez ⊙ pour voir la fiche détaillée du lieu, comportant ses coordonnées téléphoniques, Web et adresse.

❸ Faites glisser vers le bas et touchez **Ajouter aux contacts**.

❹ Pour créer un nouveau contact, touchez **Créer un nouveau contact**. Pour associer les informations à un contact existant dans le carnet d'adresses, touchez **Ajouter à un contact**.

❺ Complétez éventuellement la fiche contact et touchez le bouton **OK**.

## Afficher un signet ou l'adresse d'un contact

❶ Touchez 📖 dans le champ de recherche.

❷ Touchez **Signets** ou **Contacts** en bas d'écran.

❸ Touchez le nom du signet ou du contact dans la liste.

❹ La carte s'affiche, centrée sur le signet.

 Lorsque vous saisissez une adresse dans le champ de recherche, les lieux enregistrés dans les signets, les contacts et l'historique comportant les lettres saisies s'affichent au fur et à mesure. Touchez l'un d'eux pour le sélectionner.

# Partager un lieu

**1** Affichez un lieu ou une adresse.

**2** Touchez ⊙.

**3** Dans la fiche descriptive du lieu, touchez **Envoyer ce lieu**.

**4** Touchez le bouton **Envoyer par courrier** pour partager le lieu par e-mail.

**5** Touchez le bouton **Message** pour partager le lieu par message ou iMessage.

**6** Pour publier un tweet avec le lieu en pièce jointe, touchez **Twitter**.

**7** Pour partager le lieu *via* Facebook, touchez **Facebook**.

> **NOTE** Consultez les chapitres consacrés à Mail, Messages, et aux réseaux sociaux pour plus d'informations sur ce sujet.

# S'orienter avec Boussole

**Boussole** permet de ne pas perdre le nord. Comme une véritable boussole, elle indique la direction face à vous, et les coordonnées de l'endroit où vous vous trouvez.

**1** Lancez **Boussole**.

**2** L'aiguille de la boussole tourne pour indiquer le nord. La direction dans laquelle l'iPhone est orienté apparaît en haut de l'écran. Les coordonnées de l'endroit où vous vous trouvez sont affichées en bas de l'écran.

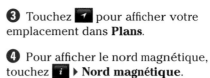

❸ Touchez  pour afficher votre emplacement dans **Plans**.

❹ Pour afficher le nord magnétique, touchez **i** ▸ **Nord magnétique**.

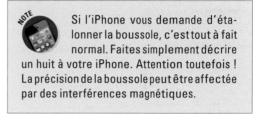

> **NOTE** Si l'iPhone vous demande d'étalonner la boussole, c'est tout à fait normal. Faites simplement décrire un huit à votre iPhone. Attention toutefois ! La précision de la boussole peut être affectée par des interférences magnétiques.

# Une dernière astuce pour Plans : précharger les cartes

Pour comprendre cette astuce, vous devez savoir comment fonctionne l'application **Plans**. La carte elle-même, c'est-à-dire le dessin des rues, est chargée par Internet. Il vous faut donc impérativement avoir accès à un réseau (Wi-Fi, 3G, EDGE ou GPRS) pour la charger. Votre position géographique en revanche est quant à elle déterminée à l'aide des informations des réseaux cellulaires, GPS (*Global Positioning System*)et/ou Wi-Fi, combinées en fonction de leur disponibilité.

Or **Plans** est une application futée et garde en mémoire une carte qui a été

chargée récemment. Cela veut donc dire que **Plans** peut tout de même afficher votre position sur cette carte, sans accès Internet, mais grâce aux données GPS. Vous l'avez compris : en voyage, si vous avez l'opportunité d'accéder à un réseau Wi-Fi, pensez à charger la carte du quartier dans lequel vous vous trouvez. Vous pourrez ensuite utiliser **Plans** hors connexion.

Cette astuce est aussi valable pour les lieux pour lesquels vous savez que l'accès à Internet sera difficile, voire impossible (zones non couvertes par les opérateurs).

# Chapitre 13

# S'organiser et s'informer avec l'iPhone

*L*'iPhone fournit toute une série d'outils pratiques pour rester informé, organisé et ne rien oublier. De **Météo** à **Bourse**, de **Notes** au **Kiosque**, en passant par **Calculette**, **Rappels** et **Horloge**, sans oublier **Calendrier** ou le **Dictaphone**, de nombreuses applications sont fournies avec l'iPhone pour vous simplifier le quotidien. Vous les découvrirez dans ce chapitre, qui débute par un approfondissement au sujet de l'assistant vocal de l'iPhone, Siri, autre outil incontournable pour s'informer et être efficace.

Siri est « l'assistant vocal » qui permet de dicter des questions et instructions à l'iPhone. Il ne s'agit cependant pas du contrôle vocal tel que vous l'avez connu jusqu'ici, « à l'ancienne » (versions 4 et antérieures de l'iPhone) et qui permettait tout juste d'appeler un contact ou de lancer la musique !

Siri est en effet capable de comprendre et d'exécuter bien plus de choses que vous ne pouvez l'imaginer : envoyer des messages, programmer des rendez-vous, définir des rappels et alarmes, indiquer la météo ou l'heure dans n'importe quel endroit du monde, et plein d'autres choses encore. En fait, Siri écoute vos questions, les interprète et va jusqu'à choisir l'application adaptée à votre besoin. Cet outil a déjà été présenté au premier chapitre. Voici un rappel et quelques approfondissements.

❶ Appuyez longuement sur le bouton **Accueil** ou approchez l'iPhone allumé et déverrouillé de votre oreille, près du détecteur de proximité (hors conversation téléphonique) et parlez. Siri se lance.

❷ Dictez une commande ou posez une question à Siri.

❸ Siri attend que vous ayez fini de parler, mais vous pouvez aussi toucher 🔵 pour lui indiquer que vous avez terminé.

> ❝ Quel temps fait-il à Houston ❞

❹ Siri interprète chaque commande de votre part et vous propose des solutions ou, à défaut, indique qu'il n'a pas compris.

 La détection de proximité n'est pas activée par défaut pour le lancement de Siri. Pour l'utiliser, touchez **Réglages ▸ Général ▸ Siri** et activez l'option **Porter à l'oreille**. Vous pouvez aussi changer la langue de Siri dans les réglages.

# Que peut-on faire avec Siri ?

Siri est capable de nombreuses choses : vous pouvez lui demander de passer un appel, d'envoyer un message, de répondre à un e-mail, de trouver des commerces de tout type autour de vous, de calculer des itinéraires, de programmer des rappels, de faire des recherches sur le Web, d'afficher la météo ou l'heure dans un lieu donné, de publier un tweet ou une mise à jour Facebook, de lancer une application, *etc.*

❶ Pour voir quelques exemples de ce dont il est capable, lancez **Siri**.

❷ Dites « Que peux-tu faire pour moi ? » ou touchez l'icône ![i].

❸ Une liste d'exemples de ce que peut faire Siri s'affiche.

 Si vous avez mis en place un code de verrouillage pour protéger votre iPhone, vous pouvez choisir d'autoriser l'accès à Siri en mode verrouillé, c'est-à-dire sans nécessité de saisir le mot de passe. Consultez la section « Protéger l'iPhone par mot de passe » du chapitre 2 pour plus d'informations à ce sujet.

## *Personnaliser Siri*

Siri ne se contente pas d'exécuter des commandes impersonnelles. Vous pouvez donc lui expliquer votre réseau de relations.

❶ Indiquez-lui par exemple « Sébastien est mon conjoint ». Par la suite, Siri comprendra parfaitement une instruction du type « Envoie un message à mon conjoint ».

❷ Lancez **Contacts** et créez une fiche pour vous-même. Saisissez-y l'adresse de votre domicile et celle de votre bureau.

❸ Touchez **Réglages** ▸**Général** ▸**Siri** ▸**Mes infos**.

❹ Indiquez la fiche contact contenant vos informations personnelles

❺ Dès lors, Siri saura vous guider ou programmer des rappels en tenant compte de ces données.

❻ Pour voir tout ce que Siri sait sur vous, demandez-lui « quelles sont mes coordonnées ? ».

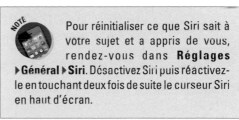

**NOTE** Pour réinitialiser ce que Siri sait à votre sujet et a appris de vous, rendez-vous dans **Réglages ▶ Général ▶ Siri**. Désactivez Siri puis réactivez-le en touchant deux fois de suite le curseur Siri en haut d'écran.

# Utiliser Siri pour publier des statuts Facebook ou vos tweets

Avec l'intégration avancée de Twitter et Facebook sur l'iPhone, Siri peut désormais aussi publier des tweets et mises à jour de statut.

❶ Appuyez longuement sur le bouton Accueil pour lancer Siri.

❷ Pour publier un tweet, dites « Tweeter » suivi du message souhaité. Vous pouvez aussi commencer par « publier sur Twitter » et Siri vous demandera des détails quant à la publication désirée.

❸ Touchez le bouton **Envoyer** pour publier le tweet.

❹ Pour publier une mise à jour sur Facebook, dites « Publier sur Facebook » suivi du message souhaité. Vous pouvez aussi commencer par « publier sur Facebook » et compléter le message.

❺ Touchez le bouton **Publier** pour mettre votre statut à jour.

> **NOTE** À l'heure où ces lignes sont écrites, il n'est pas possible de publier des photos sur Twitter ou Facebook avec Siri.

# *Afficher l'heure avec Horloge*

❶ Pour obtenir l'heure actuelle dans le lieu où vous vous trouvez, touchez **Horloge**.

❷ L'heure s'affiche.

❸ Pour afficher l'heure dans un lieu donné, vous devez ajouter une ville : touchez .

❹ Saisissez un nom de ville ou un code postal.

❺ Touchez **Rechercher** ou choisissez une ville dans la liste de résultats.

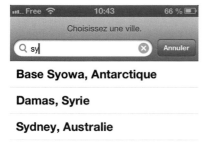

❻ Touchez **OK**.

❼ Vous pouvez afficher simultanément les horloges de cinq villes au maximum. Si vous ajoutez d'autres villes, faites glisser vers le bas pour voir les autres horloges.

❽ Si la face de l'horloge est blanche, il fait jour dans la ville correspondante. Si la face est noire, il y fait nuit.

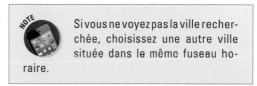

Si vous ne voyez pas la ville recherchée, choisissez une autre ville située dans le même fuseau horaire.

# Définir une alarme

**Horloge** permet aussi de définir des alarmes (des alertes sonores déclenchées à l'heure de votre choix).

❶ Touchez **Horloge ▸Alarme**.

❷ Touchez ➕.

❸ Pour définir une alarme se produisant certains jours, touchez **Récurrence** puis choisissez les jours.

❹ Touchez **Sonnerie** pour choisir la sonnerie de l'alarme.

❺ L'option **Rappel d'alarme** affiche un bouton sur l'écran de l'iPhone lorsque l'alarme sonne. Si vous touchez ce bouton, la sonnerie s'arrête, et sonne à nouveau dix minutes plus tard. Si l'option n'est pas activée, l'alarme ne sonne qu'une fois, et se désactive immédiatement.

❻ Touchez **Description** pour définir le libellé qui apparaît sur l'écran de l'iPhone lorsque l'alarme sonne.

❼ N'oubliez pas de régler l'heure de l'alarme pour terminer.

❽ Touchez **Enregistrer**.

❾ Dès lors, l'alarme est active. Pour la désactiver, faites glisser le curseur associé vers la droite.

❿ Pour modifier les réglages d'une alarme, touchez **Alarme ▸Modifier**, puis touchez ❯.

⓫ Pour supprimer une alarme, touchez ✕ à côté de l'alarme, puis touchez **Supprimer**.

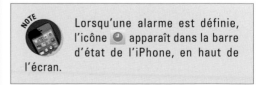
Lorsqu'une alarme est définie, l'icône 🕐 apparaît dans la barre d'état de l'iPhone, en haut de l'écran.

# Lancer le chronomètre

**Horloge** offre aussi une fonction chronomètre :

**1** Touchez **Horloge** ▶**Chronomètre**.

**2** Touchez **Démarrer** pour lancer le chronomètre.

**3** Pour mettre le chronomètre en pause, touchez **Arrêter**. Touchez **Démarrer** pour redémarrer.

**4** Pour réinitialiser le chronomètre, mettez-le en pause puis touchez **Effacer**.

**5** Pour chronométrer des tours ou intervalles de temps (de circuit, de jeu, *etc.*) et enregistrer leur durée, touchez **Tour** après chaque tour.

 **NOTE** Si vous quittez **Horloge** et utilisez une autre application de l'iPhone, le chronomètre continue à fonctionner en arrière-plan.

# Programmer le minuteur

La fonction minuteur de l'application Horloge peut être très utile. Voici comment l'utiliser :

**1** Touchez **Horloge** ▶**Minuteur**.

**2** Faites glisser pour régler le nombre d'heures et de minutes.

**3** Touchez **Sonnerie** pour choisir la sonnerie du minuteur.

**4** Touchez **Démarrer** pour lancer le minuteur.

**⑤** Touchez **Annuler** pour interrompre le minuteur avant son terme.

**⑥** Vous pouvez quitter **Horloge** : le minuteur continue à tourner en arrière-plan.

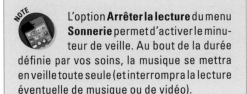

L'option **Arrêter la lecture** du menu **Sonnerie** permet d'activer le minuteur de veille. Au bout de la durée définie par vos soins, la musique se mettra en veille toute seule (et interrompra la lecture éventuelle de musique ou de vidéo).

## Prendre des notes

**Notes** permet de prendre des annotations écrites.

**❶** Lorsque vous lancez **Notes**, les notes existantes s'affichent.

**❷** Pour ajouter une note, touchez .

**❸** Le clavier s'affiche. Saisissez la note.

**❹** Vous pouvez aussi copier-coller du texte depuis un mail, un message ou une page Web.

**❺** Remarquez le titre de la note mis à jour dans le volet d'aperçu à gauche : c'est la première ligne de votre note.

**❻** La note est automatiquement enregistrée, au fur et à mesure de la saisie, même si vous quittez l'application **Notes**.

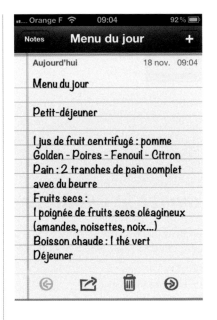

Vous pouvez aussi intégralement créer une note grâce à Siri : appuyez longuement sur le bouton **Accueil** puis dites « Prendre note », suivi du contenu souhaité pour la note.

# Lire, partager ou imprimer une note

❶ Pour lire une note, touchez-la.

❷ Lorsqu'une note est affichée, touchez ⊙ ou ⊙ pour afficher la note précédente ou suivante.

❸ Touchez 🗑 pour effacer la note définitivement.

❹ Touchez le contenu de la note pour activer le clavier et modifier la note.

❺ Touchez ✉ ▸**Envoyer par courrier** pour envoyer la note par courrier électronique.

❻ Un e-mail sera créé dans **Mail**, avec le texte de la note comme contenu et ses premiers mots comme objet. Complétez et envoyez l'e-mail.

❼ Touchez ✉ ▸**Message** pour envoyer la note par message.

**❽** Un message sera créé dans **Messages**, avec le texte de la note comme contenu. Complétez et envoyez le message.

**❾** Touchez ✉ ▶**Imprimer** pour imprimer la note sur votre imprimante AirPrint.

**❿** Touchez ✉ ▶**Copier** pour copier l'intégralité du texte de la note dans le Presse-papiers. Vous pouvez alors le coller au sein d'une autre note ou dans une autre application, comme Facebook, par exemple.

# Programmer un rappel

**Rappels** est une application simple et efficace permettant de créer et de suivre une liste de tâches. Elle permet de lister des choses à réaliser et affiche des alertes au moment ou au lieu souhaité.

**❶** Pour ajouter un rappel, lancez l'application **Rappels** puis touchez ⊞.

**❷** Saisissez le titre du rappel.

**❸** Touchez **Retour**.

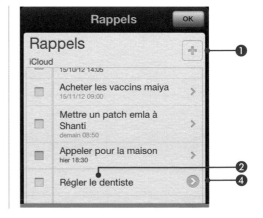

❹ Touchez ▷ pour ajouter une alerte, un ordre de priorité ou une note complémentaire.

❺ L'option **À une date** permet d'indiquer le moment précis de l'alerte, tandis que **À un lieu** utilise la géolocalisation et vous avertit lorsque vous arrivez ou quittez un lieu spécifique : chez vous ou chez un ami, par exemple, ou tout emplacement enregistré dans le carnet d'adresses. Attention : le repérage peut ne pas être très précis.

❻ Paramétrez les options de date et/ou de lieu et touchez le bouton **OK**.

 **Vous pouvez aussi programmer un** rappel entièrement grâce à Siri : dictez-lui une instruction du type « Rappelle-moi de... » et le tour est joué ! Par ailleurs, lorsque vous déclinez un appel téléphonique, vous pouvez aussi mettre en place un rappel spécial permettant de rappeler le contact concerné. Consultez le chapitre 3 pour plus d'informations à ce sujet.

# *Afficher les rappels*

❶ Lancez l'application **Rappels**.

❷ La liste des rappels s'affiche. La case vis-à-vis des rappels dont l'alerte est passée s'affiche en rose.

❸ Cochez un rappel pour indiquer que la tâche a été accomplie.

❹ Touchez le bouton **Modifier** pour effacer des rappels de la liste de tâches ou réorganiser la liste.

❺ Touchez ▤ pour filtrer les rappels par type ou date.

❻ Au moment ou au lieu prévu, le rappel s'affichera sur votre iPhone, sous la forme d'une fenêtre à deux boutons.

❼ Touchez le bouton **Fermer** pour faire disparaître la fenêtre ou **Afficher** pour voir les détails dans l'application **Rappels**.

---

Vous pouvez dicter l'intitulé du rappel grâce à la saisie vocale : touchez ▤ sur le clavier. Mieux encore, Siri comprend les instructions du type « Rappelle-moi de… », « Me rappeler de… » *etc.*, et crée automatiquement un rappel selon vos désirs. Appuyez longuement sur le bouton **Accueil** et dictez vos instructions.

# Gérer votre agenda avec Calendrier

**Calendrier** permet de gérer votre agenda et vos évènements.

❶ Lorsque vous lancez l'application **Calendrier**, le mois en cours s'affiche, avec la date du jour en surbrillance.

❷ Les jours pour lesquels vous avez déjà défini un ou plusieurs évènements sont signalés par un point.

❸ Pour voir le détail d'un évènement, touchez le jour concerné.

❹ Pour ajouter un évènement, touchez le jour correspondant à sa date puis le bouton +.

❺ La fiche **Évènement** s'affiche. Saisissez les données concernant l'évènement : **Titre** et **Lieu**, puis l'heure de fin.

❻ Touchez **Récurrence** si l'évènement doit se reproduire selon une fréquence définie, et **Alarme** pour être alerté, de cinq minutes à deux jours avant l'évènement.

❼ Touchez **Invités** puis le nom d'un ou plusieurs contacts pour envoyer une invitation concernant l'évènement.

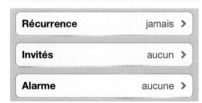

❽ Touchez **OK**. L'évènement est désormais visible dans le calendrier.

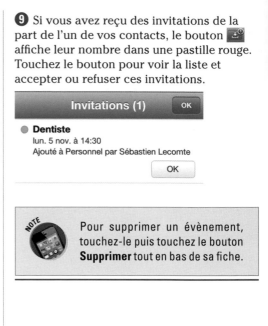

**9** Si vous avez reçu des invitations de la part de l'un de vos contacts, le bouton 📥 affiche leur nombre dans une pastille rouge. Touchez le bouton pour voir la liste et accepter ou refuser ces invitations.

Pour supprimer un évènement, touchez-le puis touchez le bouton **Supprimer** tout en bas de sa fiche.

# Supprimer les évènements Facebook du calendrier

La synchronisation des évènements Facebook et de votre calendrier s'effectue automatiquement dès que vous configurez vos accès Facebook dans les réglages de l'iPhone.

**1** Les anniversaires de vos amis et évènements Facebook auxquels vous êtes conviés sont fusionnés avec votre agenda.

❷ Pour paramétrer les options de synchronisation entre Facebook et l'iPhone, rendez-vous dans les réglages. Touchez **Réglages ▸Facebook**.

❸ Pour ne plus voir les évènements Facebook dans le calendrier, désactivez l'option **Calendrier**.

❹ Vous pouvez aussi simplement masquer les évènements et/ou anniversaires Facebook de votre agenda : touchez le bouton **Calendrier** en haut de l'application Calendrier puis désactivez les options correspondantes dans la section **Facebook**.

# Synchroniser votre agenda Google, Yahoo! ou Exchange

Si vous utilisez l'agenda associé à votre compte de messagerie, comme Yahoo! Agenda ou Google Agenda, ou possédez un agenda professionnel Microsoft Exchange que vous pouvez synchroniser avec le calendrier de l'iPhone.

❶ Sur l'écran d'accueil, touchez **Réglages ▸Mail, Contacts, Calendrier ▸Ajouter un compte**.

❷ Sélectionnez Microsoft Exchange, Yahoo! ou Gmail dans la liste et saisissez les informations relatives à votre compte. Si le compte a été créé précédemment, affichez-en les détails en le touchant.

**3** Activez l'option **Calendriers**.

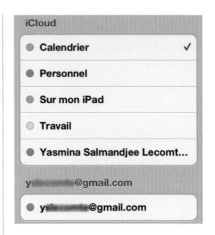

**4** Votre agenda est désormais synchronisé avec le calendrier de l'iPhone. Des points de couleur indiquent l'origine de chaque évènement.

**5** Touchez **Calendrier** dans la fiche d'un évènement pour voir ou modifier le calendrier d'origine.

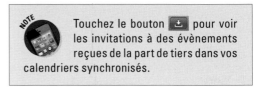

> **NOTE** Touchez le bouton ⬆ pour voir les invitations à des évènements reçues de la part de tiers dans vos calendriers synchronisés.

## *Partager votre agenda avec un contact*

Vous pouvez aisément partager l'ensemble de votre calendrier avec un contact : tous les évènements de votre agenda seront ainsi visibles dans le sien.

**1** Dans **Calendrier**, touchez le bouton **Calendrier**.

**2** Touchez le bouton ⓘ en vis-à-vis du calendrier que vous souhaitez partager.

**3** Touchez **Ajouter une personne** dans la section **Partagé avec**.

❹ Saisissez les premières lettres du nom d'un contact puis touchez son nom pour l'ajouter au partage.

❺ Touchez le bouton **Ajouter**.

❻ Le contact recevra une notification et une invitation à partager votre agenda. Dès qu'il l'aura acceptée, vos évènements seront visibles dans son calendrier.

> **NOTE** Pour à votre tour voir les évènements du calendrier de l'un de vos contacts, demandez-lui de suivre la même procédure en vous indiquant en tant que contact dans le partage de son agenda.

# Enregistrer avec le dictaphone

**Dictaphone** permet d'utiliser l'iPhone comme un dictaphone, c'est-à-dire un enregistreur de mémos vocaux, grâce au micro intégré.

❶ Touchez 🔴 pour lancer l'enregistrement d'un mémo. La durée de l'enregistrement en cours s'affiche. Vous pouvez quitter **Dictaphone** et utiliser une autre application, l'enregistrement se poursuit en arrière-plan.

❷ Une fois l'enregistrement lancé, touchez ⏸ à gauche pour faire une pause.

❸ Touchez 🔴 pour arrêter.

❹ Pour écouter vos mémos, touchez 📋.

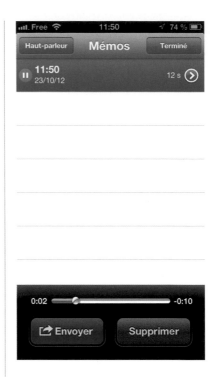

**❺** Les mémos sont affichés dans l'ordre chronologique, le plus récent au début.

**❻** Touchez un mémo pour lancer sa lecture.

**❼** Touchez **Envoyer** pour partager le mémo par e-mail ou SMS.

**❽** Touchez **Supprimer** pour effacer le mémo.

> **NOTE**
>
> Utilisez le vumètre en bas d'écran pour vous aider à régler le niveau d'enregistrement en vous déplaçant ou en vous éloignant de la source audio. Pour une qualité d'enregistrement optimale, placez-vous de façon que le niveau le plus élevé oscille entre 3 dB et 0 dB.

# *Raccourcir un mémo*

**①** Touchez .

**②** À droite du mémo concerné, touchez ⊙.

**③** Touchez **Raccourcir**.

**④** Faites glisser le curseur de début ou de fin du mémo. Touchez pour écouter l'enregistrement raccourci.

**⑤** Touchez **Raccourcir l'enregistrement** pour supprimer les parties coupées du mémo.

> **NOTE** Vous pouvez aussi utiliser un micro externe compatible pour enregistrer en stéréo (les enregistrements réalisés à l'aide du micro intégré sont en mono). Si vous utilisez le micro des écouteurs iPhone, touchez le bouton central des écouteurs pour déclencher et interrompre l'enregistrement.

# *Consulter la météo*

**Météo** fournit la température actuelle et les prévisions météo à six jours, pour une ou plusieurs villes de votre choix dans le monde.

**①** Lancez **Météo**.

**②** L'application affiche les conditions météo actuelles (en haut au centre), le nom de la ville, les températures maximale et minimale du jour, ainsi que la température actuelle.

**❸** Pour voir la météo dans un lieu donné, vous devez ajouter des villes. Touchez  ▶ ✚.

**❹** Saisissez un nom de ville ou un code postal.

**❺** Touchez **Rechercher**.

**❻** Choisissez une ville dans la liste de résultats.

**❼** Touchez **OK**.

**❽** Une fois la ville ajoutée, vous pouvez afficher sa météo. **Météo** consacre une page à chaque ville. Ainsi, pour passer d'une ville à l'autre, faites glisser vers la gauche ou la droite. Vous pouvez aussi utiliser la rangée de points en bas d'écran.

> **NOTE** Si le fond de l'application **Météo** est bleu clair, c'est qu'il fait jour (entre 6 h et 18 h) dans la ville affichée. Si le fond de l'application est violet, il fait nuit.

# Afficher rapidement la météo locale

**Météo** fournit aussi la météo locale sous la forme d'un encadré dans le **Centre de notifications**.

❶ Pour l'afficher, touchez la barre d'état et faites glisser vers le bas.

❷ L'iPhone détermine l'endroit où vous vous trouvez et affiche la météo du jour.

❸ Vous pouvez partager la météo locale du moment sur Twitter ou Facebook : touchez le bouton **Tweeter** ou **Publier**, respectivement.

 Siri aussi est efficace lorsqu'il s'agit de la météo. Appuyez longuement sur le bouton **Accueil** et demandez-lui par exemple s'il pleuvra demain à Rio ou s'il fera beau jeudi.

# Effectuer des calculs

**Calculette** permet de faire des calculs.

❶ Touchez les chiffres et fonctions sur l'écran, exactement comme vous le feriez avec une véritable calculette.

❷ Le résultat des opérations s'affiche dans la zone dédiée.

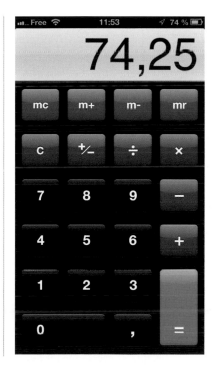

❸ **Calculette** cache une version bien plus complète : faites pivoter l'iPhone en mode paysage pour afficher la calculette scientifique.

La fonction copier-coller fonctionne dans la zone de résultat de **Calculette**. Elle permet ainsi de coller un chiffre depuis un message ou une page Web par exemple, ou de copier le résultat d'une opération pour le coller dans une note.

# Effectuer des conversions d'unités

La calculette de l'iPhone n'effectue pas les conversions d'unités. Pour pallier ce manque, utilisez l'application **Convertbot**, convertisseur de devises et d'unités en tous genres.

❶ Rendez-vous sur l'**App Store** et effectuez une recherche par mot-clé.

❷ Téléchargez l'application **Convertbot**.

❸ Une fois installée, lancez l'application.

❹ Avec plus de 500 unités réparties en 20 catégories, **Convertbot** se présente sous la forme d'une roue, facile et pratique à utiliser.

❺ Par défaut, toutes les catégories et unités disponibles ne sont pas chargées (et c'est tant mieux, car cela évite un encombrement inutile). Pour voir les catégories disponibles et accéder aux réglages, touchez 🛈 en bas à droite.

❻ Une dizaine de devises seulement sur les plus de 150 disponibles sont chargées. Vous pouvez en ajouter. Vous pouvez aussi désactiver les unités dont vous ne vous servez jamais pour « alléger » la roue.

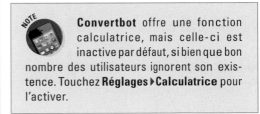

❼ Touchez **Terminé** pour revenir au convertisseur.

❽ Sélectionnez les unités de départ et d'arrivée sur la roue. Touchez le bouton central pour inverser les unités choisies.

❾ Touchez le haut de l'écran pour afficher le clavier numérique.

> **NOTE** **Convertbot** offre une fonction calculatrice, mais celle-ci est inactive par défaut, si bien que bon nombre des utilisateurs ignorent son existence. Touchez **Réglages ▸ Calculatrice** pour l'activer.

## Suivre les cours de la Bourse

**Bourse** est une application qui permet de consulter les derniers cours de la Bourse, en temps réel.

❶ Lorsque vous lancez **Bourse**, une sélection d'indices, dont les plus connus, comme le CAC 40 ou le Dow Jones, s'affiche. Défilez vers le bas pour voir plus de titres.

**2** Touchez un titre pour mettre à jour le graphique en bas d'écran.

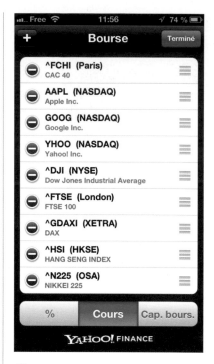

**3** Pour ajouter une action, un fonds ou un indice à la liste, touchez **i** ▶ **+**.

**4** Saisissez un symbole, le nom d'une société, d'un fonds ou d'un indice.

**5** Touchez **Rechercher**.

**6** Touchez l'élément à ajouter dans la liste puis **Terminé**.

**7** Le titre apparaît dans votre liste.

**8** Touchez %, **Cours** ou **Cap. bours.** en bas d'écran pour basculer l'affichage vers l'évolution en pourcentage, l'évolution du prix ou la capitalisation boursière.

**9** Basculez en orientation paysage pour afficher un graphique détaillé.

**10** Touchez **1j**, **1s**, **1m**, **3m**, **6m**, **1a** ou **2a** pour afficher l'évolution sur un jour, une semaine, un mois, trois mois, six mois, un an ou deux ans.

**11** Pour afficher la valeur d'un point selon une date donnée, touchez puis faites glisser votre doigt le long du graphique.

**12** Utilisez deux doigts pour voir l'évolution du cours en valeur sur une période donnée.

**13** Faites glisser vers la gauche ou la droite pour afficher les graphiques des autres titres.

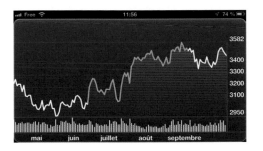

# Utiliser l'application PassBook

Grâce à l'application **Passbook**, vous pouvez réunir vos tickets de cinéma, cartes d'embarquement, coupons, cartes de fidélité et autres sur votre iPhone.

❶ **Passbook** fonctionne uniquement en conjonction avec des applications compatibles **Passbook**, à télécharger depuis l'App Store.

❷ Lancez **Passbook** et touchez le bouton **App Store** pour voir des applications compatibles.

❸ Téléchargez et utilisez les applications de votre choix : dès lors, toutes les places ou les tickets que vous achèterez à l'aide de ces applications apparaîtront dans **Passbook**.

❹ Tenant compte de l'heure et de votre localisation, **Passbook** affichera vos cartes et billets au moment opportun.

Si vous avez mis en place un code de verrouillage pour protéger votre iPhone, vous pouvez choisir d'autoriser l'accès à Passbook en mode verrouillé, c'est-à-dire sans nécessité de saisir le mot de passe. Consultez la section « Protéger l'iPhone par mot de passe » du chapitre 2 pour plus d'informations à ce sujet.

## Télécharger l'application « Localiser mon iPhone »

L'application **Localiser mon iPhone** est un outil qui vous aidera à retrouver plus facilement votre iPhone et vos autres appareils nomades Apple. Elle peut en effet lancer l'émission d'un son (assez strident) et d'un message sur l'iPhone recherché, ou encore afficher sa position géographique sur un plan. Utile dans des situations plus fâcheuses (perte, mais surtout vol), elle permet aussi de mettre en place une protection par mot de passe, à distance, et même d'effacer le contenu de l'appareil.

❶ **Localiser mon iPhone** n'est pas installée par défaut sur l'iPhone. Cherchez simplement l'application par son nom sur l'App Store et téléchargez-la.

❷ Installez l'application sur tous les appareils Apple en votre possession. Attention : vous devez impérativement utiliser l'application sur un autre appareil fonctionnant sous iOS (iPhone, iPod touch, iPad ou Mac) pour pouvoir retrouver l'iPhone.

## Réagir en cas de perte ou de vol de l'iPhone

❶ Touchez l'icône **Localiser mon iPhone**.

❷ Au premier démarrage, vous devez indiquer votre identifiant iTunes (celui utilisé sur tous les appareils que vous souhaitez suivre).

❸ La liste de vos appareils Apple suivis s'affiche.

❹ Touchez la vignette de l'appareil à localiser pour afficher sa position approximative sur un plan.

**❺** Touchez  pour afficher le menu d'options.

**❻** Touchez **Émettre un son ou envoyer un message** pour que l'iPhone cible produise un son et éventuellement affiche le message de votre choix.

**❼** Touchez **Verrouiller à distance** puis saisissez deux fois de suite un code à 4 chiffres pour protéger l'iPhone cible avec ce mot de passe. Si quelqu'un tente de déverrouiller l'iPhone, ce code sera exigé.

**❽** Touchez **Effacer à distance** (s'il est vraiment certain que votre iPhone est entre de mauvaises mains et non juste égaré), afin d'effacer définitivement et irréversiblement toutes les données de l'iPhone cible.

Si le vol de votre iPhone est avéré, vous devez aussi contacter votre opérateur de téléphonie afin de demander la désactivation immédiate de la carte SIM

# Chapitre 14

# Améliorer l'iPhone grâce à des applications

*Dans ce chapitre :*

▶ Qu'est-ce qu'une application ?

▶ Pourquoi télécharger de nouvelles applications ?

▶ Trouver une application

▶ Trouver une application selon un mot-clé

▶ Utiliser les codes-barres

▶ Télécharger une application

▶ Installer les mises à jour

▶ Signaler un problème concernant une application

▶ Organiser les icônes

▶ Combien l'écran d'accueil peut-il contenir d'icônes ?

▶ Gérer et organiser vos applications avec iTunes

▶ Que signifie « application fonctionnant sur l'iPhone et l'iPad » ?

*L*'**App Store** – littéralement la « boutique d'applications » – est ce qui va vous donner la possibilité de décupler la puissance de votre iPhone. Comment ? Grâce aux applications. Vous avez découvert au cours des chapitres précédents les différentes applications « de base » de l'iPhone : Mail, Plans, Safari, l'iPod, *etc.* L'**App Store** vous donnera accès à des milliers de nouvelles applications, offrant d'autres fonctions : trouver de bonnes adresses autour de vous, reconnaître une musique que vous entendez, vous divertir, vous cultiver, jouer, et plein d'autres choses que vous n'auriez même pas osé imaginer. Avant de découvrir des sélections d'applications, vous apprendrez dans ce chapitre à télécharger et gérer vos applications.

# Qu'est-ce qu'une application ?

Vous avez déjà fait connaissance avec le concept d'application au deuxième chapitre de cet ouvrage. Chaque icône située sur l'écran d'accueil de l'iPhone donne accès à une *application*.

Il existe deux types d'applications sur l'iPhone : les applications dites « de base » et les autres applications, installées à votre demande.

Les applications de base sont les applications installées sur tous les iPhone, par défaut, et correspondant aux fonctions essentielles du smartphone. Il y en a près de trente, vous les avez toutes découvertes en détail au cours des chapitres précédents.

Les autres applications, c'est-à-dire toutes celles que vous pouvez ajouter à votre iPhone, sont optionnelles. Pour en trouver,

vous devez vous rendre sur l'**App Store**, la « boutique d'applications ». Vous y découvrirez des milliers d'applications dans tous les genres et pour tous les goûts, mais aussi pour tous les budgets. Beaucoup sont gratuites. Il suffit de télécharger une application pour pouvoir l'utiliser sur votre iPhone.

Ces applications sont donc facultatives et différentes pour chaque utilisateur d'iPhone. Notez que ces applications ne sont pas forcément créées par Apple : n'importe quel développeur ou société peut proposer ses applications au monde entier *via* l'**App Store**. Enfin, contrairement aux applications de base, vous pouvez supprimer à tout moment ces applications de votre iPhone.

Certaines applications sont des cas particuliers, puisque l'on peut les considérer comme des « applications de base » de l'iPhone, mais il faudra tout de même procéder à leur installation (gratuite), car elles ne sont pas présentes par défaut. Il s'agit de l'application **iBooks** permettant de lire des livres électroniques, de **Localiser mon iPhone**, **Facebook** et **Twitter**. Elles ont été présentées précédemment.

# Pourquoi télécharger de nouvelles applications ?

L'iPhone n'aurait probablement pas le succès dont il bénéficie s'il n'existait pas un moyen de décupler ses capacités : l'accès au fameux **App Store** et à des milliers et des milliers d'applications supplémentaires. Il existe des applications pour toutes sortes d'usages : pour communiquer avec vos proches ; mettre à jour votre statut Facebook ; consulter les horaires de cinéma autour de vous ; calculer un itinéraire routier ou en transports en commun ; écouter la radio, lire les informations, faire de la musique, retoucher vos photos ; *etc.*

Ces petits programmes complémentaires tirent parti des fonctionnalités de l'iPhone et répondent à un besoin différent de ceux comblés par les applications de base.

# Trouver une application

Installer une application, qu'elle soit gratuite ou payante, c'est aussi simple que rapide : il suffit en effet de vous rendre sur l'**App Store** depuis votre iPhone, et d'effectuer quelques manipulations très simples.

❶ Touchez l'icône **App Store**.

❷ L'**App Store** s'ouvre et vous permet de rechercher des applications selon plusieurs méthodes : les listes de suggestions, les recommandations fondées sur vos goûts, les classements et la recherche par mots-clés.

❸ Si vous n'avez aucune idée précise en tête et souhaitez simplement découvrir de nouvelles applications intéressantes ou à la mode, utilisez les listes de suggestions de l'**App Store** : touchez **Sélection** pour afficher les nouveautés du moment et les applications qui font l'actualité selon Apple.

❹ Pour voir les recommandations fondées sur vos goûts, touchez **Sélection ▶ Genius**.

❺ Vous devez activer la fonctionnalité : touchez **Activer Genius ▶ Accepter ▶ Terminé**.

❻ Les recommandations s'affichent. Pour chacune d'elles, vous pouvez voir l'application déjà installée qui justifie la suggestion de **Genius**.

**❼** Pour affiner les recommandations de **Genius**, vous pouvez lui indiquer ses choix non pertinents : touchez le bouton **Pas intéressé** dans la fiche d'une application recommandation pour la supprimer de la liste.

**❽** **Genius** tiendra compte de ce refus pour ses prochaines suggestions.

**❾** Pour consulter le classement du moment (en fonction du nombre de téléchargements de la journée, mais aussi des notes des utilisateurs), touchez **Classement**.

**❿** Naviguez dans les sections **Payantes**, **Gratuites** ou **Rentables** en haut d'écran. Faites glisser horizontalement pour voir plus d'applications dans une catégorie.

**⓫** Les applications sont classées selon une vingtaine de catégories : jeux, divertissement, style de vie, finances, médecine, voyages, *etc*. Certaines sont elles-mêmes classées en sous-catégories (comme les jeux). Pour voir le classement dans une catégorie donnée, touchez **Catégorie** en haut de l'écran **Classements**, puis le nom d'une catégorie et éventuellement d'une sous-catégorie.

**NOTE** **Genius** est le nom de la fonction-nalité de l'**App Store** qui permet de rechercher de nouvelles applica-tions en fonction de vos goûts. **Genius** analyse les applications que vous avez déjà installées et vous propose des applications dans la même thématique, selon un calcul complexe.

# Trouver une application selon un mot-clé

Une autre manière de trouver une application sur l'**App Store** est d'effectuer une recherche par mots-clés. Cette recherche peut porter sur le thème de l'application, au sens large (« Paris ») ou être beaucoup plus précise (« réservation restaurants Paris »).

❶ Touchez **Recherche**, puis le champ de recherche en haut à droite de l'écran. Saisissez des mots-clés pertinents par rapport à votre recherche.

❷ Au cours de la saisie, des suggestions relatives aux caractères saisis s'affichent.

❸ Vous pouvez toucher l'une d'entre elles pour accéder directement à l'application concernée. Sinon, touchez **Rechercher** sur le clavier pour lancer la recherche et afficher toutes les applications correspondant aux termes saisis.

❹ Les résultats s'affichent. Faites glisser vers la gauche pour parcourir les résultats.

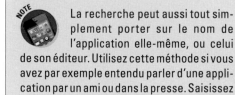
La recherche peut aussi tout simplement porter sur le nom de l'application elle-même, ou celui de son éditeur. Utilisez cette méthode si vous avez par exemple entendu parler d'une application par un ami ou dans la presse. Saisissez les mots-clés correspondant au nom de l'application ou de l'éditeur.

# Utiliser les codes-barres

Pour télécharger encore plus rapidement les applications présentées dans cet ouvrage, nous avons opté pour un système très pratique : les codes-barres. Le principe est simple : pour installer rapidement une application, il suffit de *scanner* son code-barres à l'aide d'une application sur votre iPhone.

**❶** Pour commencer, téléchargez sur votre iPhone une application permettant de scanner les codes-barres, comme l'efficace et gratuite **Scan** : touchez **App Store ▸ Recherche**.

**❷** Dans le champ en haut d'écran, saisissez **scan**, puis touchez **Rechercher**.

**❸** Touchez **scan** pour voir la fiche détaillée de l'application puis **Installation** pour télécharger l'application.

**❹** L'application **Scan** s'installe sur votre iPhone.

**❺** Au cours de la lecture de cet ouvrage, vous découvrirez des applications. Si l'une d'elles vous intéresse, vous pourrez la télécharger rapidement : sur votre iPhone, touchez l'icône **Scan**.

❻ Scannez le code-barres du produit : il suffit de faire comme si vous souhaitiez prendre une photo du code-barres sur la page.

❼ Sans que vous ayez besoin d'appuyer sur un bouton, l'application reconnaît le code-barres (bien cadré) et émet un signal sonore pour vous l'indiquer.

❽ L'**App Store** s'ouvre alors directement sur la fiche de l'application.

 Cette méthode vous permet d'atteindre rapidement la fiche d'une application présentée dans cet ouvrage sur l'**App Store**, sans même avoir à saisir son nom ou effectuer une recherche. Elle permet aussi de vous assurer que vous téléchargez la bonne application et non une autre, au nom proche ou même identique.

# *Télécharger une application*

**❶** Explorez l'**App Store** selon votre technique préférée : suggestions et classements, recherche par mots-clés ou utilisation d'un code-barres.

**❷** Dans la fiche détaillée de l'application (touchez simplement le nom de l'application pour l'afficher), un descriptif complet et des écrans sont visibles.

**❸** Faites glisser vers le bas pour voir les captures d'écran de l'application. S'il y en a plusieurs, vous pouvez défiler horizontalement dans la galerie.

**❹** Pour installer une application gratuite, touchez le bouton **GRATUIT** puis **INSTALLER L'APP**.

**❺** Pour installer une application payante, touchez le bouton indiquant le prix puis **ACHETER L'APP**.

❻ Lorsqu'une application a déjà été achetée (sur cet iPhone ou tout autre appareil Apple : iPad, ancien iPhone, *etc.*) le bouton est grisé. Vous pouvez si besoin la télécharger à nouveau en touchant le bouton **INSTALLER**. Le bouton d'une application déjà achetée et présente sur votre iPhone indique simplement **OUVRIR**.

❼ Patientez pendant le téléchargement des applications (qui peut être plus ou moins long selon les applications et la vitesse de votre connexion).

❽ Appuyez sur le bouton **Accueil** pour quitter l'**App Store.** Les icônes des nouvelles applications apparaissent sur l'écran de votre iPhone. Les applications n'ayant encore jamais été lancées après leur téléchargement sont signalées comme nouvelles par un bandeau bleu, visible sur leur icône.

 Les applications sont parfois des fichiers volumineux. De préférence, téléchargez des applications lorsque vous êtes connecté en Wi-Fi. Certaines applications ne peuvent d'ailleurs pas être téléchargées autrement, car elles ont un volume de données trop important pour le réseau 3G.

# Installer les mises à jour

Les applications évoluent et sont souvent mises à jour par leurs concepteurs. La mise à jour est généralement gratuite, y compris pour les applications payantes au départ.

❶ Lorsque la mise à jour d'une ou plusieurs applications est disponible, une pastille rouge sur l'icône **App Store** indique leur nombre.

❷ Pour mettre à jour vos applications, touchez **App Store ▸ Mises à jour**.

❸ Les applications bénéficiant d'une mise à jour à télécharger s'affichent.

❹ Touchez **Tout mettre à jour**. Patientez.

**⑤** Les mises à jour sont installées.

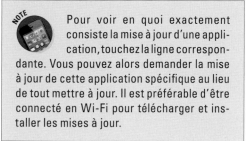
Pour voir en quoi exactement consiste la mise à jour d'une application, touchez la ligne correspondante. Vous pouvez alors demander la mise à jour de cette application spécifique au lieu de tout mettre à jour. Il est préférable d'être connecté en Wi-Fi pour télécharger et installer les mises à jour.

## Signaler un problème concernant une application

Si vous rencontrez un problème avec une application suite à un achat sur l'App Store (problème au cours du téléchargement, dysfonctionnement, application ne répondant pas à sa description ou ne correspondant pas à votre appareil, par exemple) il existe des solutions.

Quelques heures après l'achat de l'application, vous recevrez un e-mail de la part de l'App Store en guise de reçu.

**①** Cliquez sur le lien **Signaler un problème** en dessous de l'application concernée.

❷ Le logiciel iTunes se lance. Cliquez à nouveau sur **Signaler un problème**. Remplissez le formulaire de signalement et cliquez sur **Envoyer**.

Apple vous contactera pour vous proposer une solution et même éventuellement le remboursement de l'application concernée.

**Signaler un problème**                    🔒 Connexion sécurisée

Si vous avez un problème avec Kids Song Machine 2 - Around the World HD, v1.3, faites-nous en part. Sélectionnez le problème dans la liste ci-dessous, puis entrez vos commentaires. Nous répondrons à [____]@gmail.com. Si vous avez besoin de changer votre adresse e-mail, rendez-vous à la page de votre compte.

Problème :    Je n'ai pas reçu cette application                    ▼

Commentaires :    Problème en cours de téléchargement

                                            Annuler    Envoyer

# Organiser les icônes

L'écran d'accueil est entièrement personnalisable : vous pouvez en effet agencer les icônes selon vos souhaits, y compris dans le dock du bas de l'écran. Vous pouvez créer des groupes pour organiser vos icônes par thèmes.

Organiser vos icônes, en particulier le dock de lancement rapide et la première page, vous fera gagner un temps précieux : vous accéderez ainsi facilement aux applications que vous utilisez le plus souvent.

## Déplacer les icônes

❶ Touchez n'importe quelle icône sur l'écran d'accueil.

❷ Maintenez le doigt appuyé quelques secondes. Les icônes « frémissent » ? Vous pouvez alors les déplacer !

❸ Réorganisez les icônes en les faisant glisser.

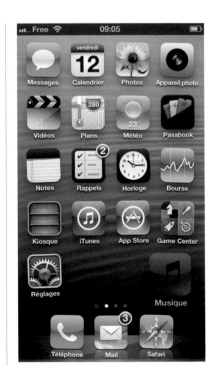

**NOTE** Pour sortir de ce mode permettant de déplacer les icônes, touchez simplement le bouton **Accueil**. C'est aussi la marche à suivre si vos icônes se mettent à frémir « par accident ».

## Placer une icône dans le dock de lancement rapide

Vous pouvez placer votre application préférée dans le dock de lancement rapide pour un accès direct.

**①** Touchez une icône sur l'écran d'accueil, jusqu'à ce que les icônes frémissent.

**②** Vous devez d'abord libérer une place sur les quatre disponibles dans le dock : faites simplement glisser l'icône à sortir du dock vers la zone des icônes.

**③** Faites ensuite glisser l'icône souhaitée depuis la zone centrale vers le dock.

**④** Appuyez sur le bouton **Accueil** pour enregistrer la nouvelle configuration.

 **NOTE** Le *dock de lancement rapide* est la partie grisée en bas d'écran. Elle peut accueillir jusqu'à quatre icônes. Les applications situées dans cette zone sont accessibles sur toutes les pages d'icônes. Cela signifie que vous pouvez accumuler des pages et des pages d'icônes, ces quatre applications seront toujours visibles et accessibles rapidement.

## Créer de nouvelles pages

Vous pouvez créer jusqu'à onze pages pour organiser vos icônes sur l'écran d'accueil.

**①** Touchez une icône sur l'écran d'accueil, jusqu'à ce que les icônes frémissent.

**②** Touchez une icône à déplacer sur la nouvelle page.

**③** Tant que vous ne relâchez pas le doigt de l'écran, vous pouvez déplacer l'icône en mouvement. Faites glisser vers la droite au niveau de la dernière page pour créer une nouvelle page. Attention à ne pas faire glisser une icône sur une autre icône, vous créeriez un groupe.

**④** Relâchez l'icône.

**⑤** Appuyez sur le bouton **Accueil** pour enregistrer la nouvelle configuration.

Pour passer de page en page, faites glisser sur les côtés ou utilisez les points blancs situés au-dessus du dock de lancement rapide. À tout moment, appuyez sur le bouton **Accueil** pour revenir à la première page.

## Créer des groupes d'icônes

Le concept de groupe d'icônes est très pratique, surtout lorsque vous possédez de très nombreuses applications. Vous créez autant de groupes que vous le souhaitez et placez jusqu'à 12 icônes dans chaque groupe.

❶ Touchez une icône sur l'écran d'accueil, jusqu'à ce que les icônes frémissent.

❷ Pour créer un groupe, faites simplement glisser une icône sur une autre.

❸ Un cadre vous indique la création du groupe et les icônes en faisant partie s'affichent en miniature à l'intérieur.

❹ Pour renommer le groupe d'icônes, touchez la zone affichant le nom et saisissez le nouveau nom.

❺ Vous pouvez faire glisser des icônes dans un groupe existant pour le compléter ou déplacer un groupe entier vers un nouvel emplacement.

 Pour extraire des applications d'un groupe, affichez son contenu puis maintenez le doigt appuyé sur une des icônes jusqu'à ce qu'elles frémissent. Faites alors glisser les icônes hors du groupe vers la zone principale des icônes. Pour dissocier un groupe, faites sortir toutes les applications du groupe une par une.

## Supprimer une icône

Vous pouvez supprimer l'icône de toute application installée depuis l'**App Store** (mais pas celle d'une application de base). L'application ne sera plus disponible sur votre iPhone.

❶ Touchez une icône sur l'écran d'accueil, jusqu'à ce que les icônes frémissent.

**②** Pour supprimer une icône et l'application associée, touchez la croix située dans le coin supérieur gauche de l'icône.

**③** Touchez le bouton **Supprimer** pour confirmer votre choix.

**④** Lorsque vous avez terminé, appuyez sur le bouton **Accueil**.

NOTE

Que faire des icônes des applications de base dont vous ne vous servez pas ? Vous ne pouvez pas les supprimer. Si elles vous gênent, créez simplement un groupe et placez-le sur la dernière page d'icônes.

# Combien l'écran d'accueil peut-il contenir d'icônes ?

Faisons un calcul rapide : sur l'écran de l'iPhone, hors dock de lancement rapide, vous pouvez créer 11 pages de 20 icônes chacune, soit 220 icônes (applications de base comprises).

En théorie, en créant uniquement des groupes, on pourrait donc atteindre 220 groupes contenant 12 icônes chacun, soit le nombre astronomique de 2 2640 applications au total, plus les 4 du dock de lancement rapide.

# Gérer et organiser vos applications avec iTunes

Le logiciel iTunes permet d'accéder à l'**App Store** et d'acheter des applications pour votre iPhone depuis votre ordinateur, mais aussi de les organiser facilement.

## Acheter des applications avec iTunes

L'opération se déroule en deux temps : il faut télécharger les applications sur votre

ordinateur avec iTunes, puis les transférer vers votre iPhone, toujours avec iTunes.

**❶** Pour acheter des applications, cliquez sur **iTunes Store ▶ App Store** dans iTunes sur votre ordinateur.

**②** Vous pouvez alors explorer l'**App Store**. Pour télécharger une application gratuite, cliquez sur le bouton **App gratuite**.

**③** Pour acheter une application, cliquez sur le bouton indiquant son prix.

**④** Indiquez votre identifiant iTunes et votre mot de passe.

**⑤** Cliquez sur le bouton **Acheter**.

**⑥** L'application est téléchargée sur votre ordinateur.

**❼** De la même manière que vous synchronisez votre musique ou vidéo avec iTunes, il faut synchroniser les applications : une fois votre iPhone connecté à l'ordinateur, cliquez sur **iPhone** dans la barre de gauche, puis sur l'onglet **Applications**.

**❽** Cliquez sur **Fichier ▸ Transférez les achats de « iPhone »**.

**❾** Activez l'option **Synchroniser les applications** puis cliquez sur le bouton **Synchroniser** en bas d'écran.

## Organiser les applications avec iTunes

Vous pouvez organiser facilement vos icônes d'applications grâce à iTunes.

❶ Une fois votre iPhone connecté à l'ordinateur, cliquez sur **iPhone** dans la barre de gauche, puis sur l'onglet **Apps**.

❷ À droite de l'écran apparaissent des copies de vos écrans d'icônes.

❸ Pour déplacer une icône au sein d'une page, cliquez dessus et faites-la glisser.

❹ Pour la déplacer sur une autre page, cliquez dessus et faites-la glisser sur une page numérotée sur la droite.

❺ Pour créer un groupe, faites glisser une icône sur une autre.

❻ À la fin, n'oubliez pas de synchroniser l'iPhone avec iTunes pour appliquer les modifications : cliquez sur l'onglet **Apps** puis sur **Appliquer** en bas d'écran.

## Mettre à jour les applications depuis iTunes

Vous pouvez aussi mettre vos applications à jour depuis iTunes.

❶ Cliquez sur **Apps** dans la section **Bibliothèque** à gauche.

❷ Cliquez sur **Mises à jour disponibles**.

❸ Cliquez sur **Télécharger toutes les mises à jour gratuites**.

❹ N'oubliez pas ensuite de synchroniser les applications sur votre iPhone : cliquez sur l'onglet **Apps** puis sur **Appliquer** en bas d'écran.

Si vous possédiez déjà un iPhone de version antérieure, vous pouvez bien entendu transférer toutes vos applications téléchargées vers votre nouvel iPhone 5 grâce à iTunes. Connectez simplement votre iPhone à iTunes suite au premier démarrage et le logiciel vous proposera d'y copier vos applications.

# Que signifie « application fonctionnant sur l'iPhone et l'iPad » ?

L'iPad et l'iPhone sont des appareils « cousins ». Peut-être vous-même possédez-vous les deux ? Vous savez alors que bien qu'ils se ressemblent, ils ont aussi de nombreuses différences. L'iPad, par exemple, offre un écran beaucoup plus grand que l'iPhone (ce qui résulte en de nombreuses possibilités, mais aussi de nouvelles contraintes pour les concepteurs d'applications).

L'**App Store** distingue plusieurs types d'applications : les applications pour iPhone et les applications pour iPad. De plus, certaines d'entre elles sont désignées comme « app fonctionnant sur l'iPhone et l'iPad » : elles sont signalées par un « + » à côté de leur icône. On parle aussi d'*application universelle*.

La notion de compatibilité d'une application entre iPad et iPhone exige donc quelques éclaircissements.

## Les « app fonctionnant sur l'iPhone et l'iPad »

Certaines applications ont été conçues pour fonctionner de manière transparente sur tous les appareils Apple. Si vous possédez deux appareils ou plus (un iPhone et un iPad, par exemple), l'avantage est que vous n'aurez pas à acheter deux applications différentes. Ces applications sont signalées par un + à côté de leur icône sur l'**App Store**.

Dans certains cas, l'application est la même ou pratiquement la même sur l'iPad et sur l'iPhone, avec une adaptation graphique à la taille de l'écran. C'est le cas par exemple de l'application **Smack Talk**.

 **NOTE** L'application détecte bien entendu automatiquement la machine utilisée, iPad ou iPhone, et affiche la version appropriée.

Dans d'autres cas, l'application est complètement différente selon la machine utilisée : sur l'iPad, la taille de l'écran permet d'autres usages que sur l'iPhone, par exemple. C'est le cas notamment de l'application **Allociné**, très synthétique et pratique sur l'iPhone, beaucoup plus graphique et interactive sur l'iPad.

## Les applications pour iPhone

Toutes les applications conçues pour l'iPhone peuvent aussi être utilisées sur l'iPad malgré tout, même si elles n'ont pas été prévues au départ pour cela. Vous pouvez alors utiliser l'affichage en taille réduite (la taille d'un iPhone) ou agrandir l'écran en touchant le bouton **X2** en bas d'écran.

Cela fonctionne parfois très bien : si la fonction primaire de l'application n'est pas graphique mais sonore, par exemple. Vous pouvez ainsi très bien utiliser l'application iPhone **AllRadio** sur votre iPad. L'affichage n'est pas optimal, mais la qualité du son produit sera identique, et c'est l'essentiel !

Dans d'autres cas, c'est moins probant. C'est le cas des applications pour lesquelles l'affichage graphique prime : les jeux et les applications de divertissement en particulier. Vous pouvez toujours faire le test.

>  **NOTE** À l'inverse, il est impossible de télécharger et d'utiliser une application « iPad uniquement » sur un iPhone. Cela ne vous sera d'ailleurs jamais proposé.

## Les versions HD

Enfin, certaines applications sont disponibles dans une version « classique » pour l'iPhone, et dans une version iPad, souvent dite « HD » (haute définition).

Si vous souhaitez jouer sur vos deux appareils, hélas, et même si le jeu est strictement identique, vous devrez investir dans l'achat des deux versions de l'application ! C'est le cas par exemple de la série de jeux **Angry Birds**.

# Réglages importants et notifications

De nombreux réglages généraux et paramétrage d'applications ont déjà été évoqués dans les chapitres portant sur ces applications. Ce chapitre propose une synthèse ou des approfondissements lorsque c'est nécessaire, ainsi que la présentation d'autres réglages essentiels.

L'application **Réglages** centralise la majorité des options importantes pour votre iPhone. Elle permet en outre :

- d'activer le vibreur en mode silencieux et d'ajuster les sons de votre iPhone ;
- d'activer le correcteur de texte et de choisir des options du clavier qui vous feront gagner du temps ;
- de paramétrer les options des messages ;
- de définir la durée du verrouillage automatique ;
- de vous connecter en **Wi-Fi** et de modifier les options de réseau ;

- de modifier les options des applications installées *via* l'App Store.

Touchez **Réglages** pour accéder aux options.

 Pour certaines applications, une partie des réglages peut s'effectuer au sein même de l'application et non *via* **Réglages**.

## *Choisir la durée avant la mise en veille*

Par défaut, l'iPhone passe en veille au bout d'une minute. L'écran s'assombrit et se verrouille automatiquement. Cela présente deux avantages : non seulement cela permet d'économiser la batterie, mais de plus, cela évite les manipulations involontaires sur l'écran tactile. Si cette durée ne vous convient pas, vous pouvez la modifier :

❶ Touchez **Réglages ▶ Général ▶ Verrouillage auto**.

❷ Choisissez une durée. Touchez **jamais** afin que l'iPhone ne se mette jamais en veille seul.

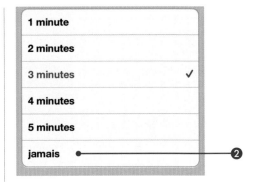

 Si vous souhaitez mettre l'iPhone en veille avant la durée ou si vous avez sélectionné l'option **jamais,** vous pouvez bien sûr verrouiller *manuellement* votre iPhone. Appuyez simplement à tout moment sur le bouton de verrouillage situé sur le dessus de l'iPhone.

# Ajouter des mots dans le dictionnaire

Le dictionnaire de l'iPhone peut parfois sembler capricieux. Il semble connaître des mots tout à fait inattendus, et en ignorer d'autres pourtant très répandus. Résultat, les suggestions orthographiques semblent parfois inutiles voire totalement déplacées ! Rappel : vous pouvez les désactiver (touchez **Réglages ▸ Général ▸ Clavier** puis désactivez l'option **Correction auto**.)

De manière générale, elles permettent tout de même de gagner du temps. Aussi, si vous utilisez souvent un mot et souhaitez l'ajouter au dictionnaire de l'iPhone, c'est possible, mais peu savent comment faire.

Voici la technique : lancez **Safari** et touchez le champ **Google**. Saisissez le mot en question et lancez la recherche. Dès lors, le mot est enregistré.

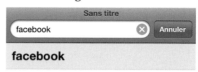

# Ajouter des claviers internationaux

❶ Touchez **Réglages ▸ Général ▸ Clavier**.

❷ Touchez **Claviers internationaux** puis sélectionnez les langues à ajouter.

❸ Lorsque vous activez plus de deux claviers internationaux, un bouton spécial fait son apparition dans le clavier : . Touchez ce bouton pour basculer entre les différents claviers internationaux activés au cours de la saisie.

**NOTE** Attention : plus vous aurez de claviers internationaux différents et plus il vous faudra du temps pour passer de l'un à l'autre. Touchez **Réglages ▸ Général ▸ Clavier ▸ Claviers internationaux ▸ Modifier** pour supprimer les claviers dont vous n'avez plus l'usage.

# Désactiver les corrections orthographiques

❶ Touchez **Réglages** ▶ **Général** ▶ **Clavier**.

❷ Désactivez l'option **Correction auto**.

❸ Vous pouvez aussi empêcher l'iPhone d'ajouter des majuscules au début des phrases, de ce qu'il pense être un nom propre ou la première lettre du nom de l'un de vos contacts. Désactivez l'option **Majuscules auto**.

❹ Désactivez l'option **Orthographe** pour que l'iPhone ne vous signale plus les mots mal orthographiés.

# Ajouter des raccourcis clavier

Vous pouvez éditer et ajouter des raccourcis pour saisir du texte encore plus rapidement. Au cours de la saisie, le raccourci sera automatiquement remplacé par le mot indiqué : « jrv » devient par exemple instantanément « j'arrive ».

❶ Touchez **Réglages** ▶ **Général** ▶ **Clavier**.

❷ Touchez **Ajouter un raccourci**.

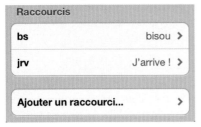

❸ Saisissez l'expression et le raccourci de votre choix.

❹ Touchez le bouton **Enregistrer**.

❺ Pour modifier la liste des raccourcis, touchez le bouton **Modifier**.

# Paramétrer la recherche Spotlight

La recherche dans l'iPhone est un outil très utile et indispensable pour retrouver un élément de n'importe quel type dans le contenu de votre iPhone : contacts, messages, musique, notes, applications, *etc*. Vous réaliserez cependant rapidement que certains éléments ne sont pas utiles à inclure dans la recherche, car non seulement ils ralentissent le traitement de votre requête, mais de plus, les résultats ne vous intéressent pas.

❶ Touchez **Réglages** ▸ **Général** ▸ **Recherche Spotlight**.

❷ Sélectionnez les types d'éléments inclus dans la recherche : touchez un élément pour le cocher ou le décocher.

❸ Pour redéfinir l'ordre de classement des résultats, touchez un élément. Faites glisser pour réorganiser la liste.

# Utiliser le mode Avion

Le **mode Avion** désactive les fonctions « sans fil » de l'iPhone : signal téléphonique, radio, Wi-Fi et Bluetooth. Autrement dit, vous ne pouvez plus recevoir ou émettre des appels, courriels ou messages, consulter la messagerie, naviguer sur le Web ou accéder à toutes les données reçues par Internet (dont la météo, les cours de la Bourse, YouTube, etc.). Vous pouvez toutefois toujours utiliser l'iPod, prendre et visualiser des photos, utiliser la calculette... Pour activer le **mode Avion** :

❶ Touchez **Réglages**.

❷ Touchez le curseur **Mode Avion**.

❸ Lorsque le **mode Avion** est activé, l'icône ✈ apparaît dans la barre d'état en haut d'écran.

❹ Pour désactiver le **mode Avion**, touchez **Réglages** ▸ **Mode Avion** à nouveau. Les connexions téléphoniques et Internet sont rétablies.

> **NOTE** Vous prêtez votre iPhone à votre enfant pour qu'il joue avec une application ? Dans ce cas, activez le **mode Avion** au préalable, vous éviterez ainsi toutes les erreurs de manipulation du type appel en Australie, utilisation de la 3G hors de prix, et autres mésaventures !

# Régler l'heure manuellement

Dans certains pays, l'heure n'est pas automatiquement réglée, car tous les fournisseurs de réseau cellulaire ne gèrent pas cette fonction. Dans ce cas, pour régler manuellement l'heure de l'iPhone :

**❶** Touchez **Réglages ▶ Général ▶ Date et heure**.

**❷** Désactivez l'option **Réglage automatique**.

**❸** Touchez **Fuseau horaire** pour ajuster l'heure en fonction d'un fuseau horaire.

**❹** Saisissez le nom de la ville recherchée puis touchez son nom. Saisissez le nom d'une ville située dans le même fuseau horaire si celle que vous recherchez n'est pas listée par l'iPhone.

**❺** Pour régler l'heure manuellement, touchez **Régler la date et l'heure**.

**❻** Utilisez les menus roulants pour ajuster les heures et les minutes.

**❼** Vous pouvez aussi modifier la date : touchez la date affichée puis utilisez les menus de réglage pour la changer.

 Si votre voyage à l'étranger exige aussi la prise de notes ou la rédaction de messages en langues étrangères, pensez à ajouter les claviers internationaux correspondants, comme expliqué précédemment. Vous pouvez aussi éventuellement désactiver la correction orthographique.

# *Paramétrer les notifications*

Vous pouvez personnaliser toutes les alertes, pour chaque application, grâce aux réglages du **Centre de notifications**.

**1** Touchez **Réglages ▸ Notifications**.

**2** Choisissez l'ordre de tri et d'affichage des notifications. **Manuellement** groupe les notifications par applications. **Chronologiquement** affiche les éléments par ordre inverse d'arrivée.

**3** Touchez **Modifier** pour changer l'ordre des applications dans la liste et faites glisser les éléments pour les réorganiser. Vous pouvez faire glisser une application hors du **Centre de notifications**.

**4** Touchez le nom d'une application pour voir ou modifier ses paramètres de notification. Activez l'option **Centre de notifications** pour que les alertes reçues et non consultées apparaissent lorsque vous faites glisser vers le bas sur l'écran d'accueil.

**5** Définissez éventuellement le nombre d'éléments récents concernés par les notifications : 1, 5 ou 10 éléments.

**6** Choisissez un style de notification (**Aucune** n'affiche pas de message).

**7** Lorsque l'application le permet, vous pouvez aussi afficher une pastille sur son icône.

**8** Indiquez enfin si la notification apparaît aussi sur l'écran verrouillé, c'est-à-dire lorsque la notification est reçue pendant que l'iPhone est en veille.

Comprenez bien que faire partie du **Centre de notifications** et afficher des alertes sont deux choses différentes : une application peut très bien se trouver dans le **Centre de notifications** et ne jamais émettre d'alerte. Elle peut aussi afficher des notifications de type **alertes** et ne pas faire partie du **Centre de notifications**. À vous de décider !

# Changer de mot de passe iTunes

Pour utiliser votre iPhone, vous avez vraisemblablement créé un compte iTunes. La saisie de votre mot de passe iTunes vous sera fréquemment demandée, en particulier lorsque vous souhaiterez installer de nouvelles applications. Si vous choisissez un mot de passe trop compliqué à saisir (avec plusieurs caractères spéciaux, par exemple), cela pourra vous exaspérer très rapidement.

Prenez donc soin de trouver un bon compromis entre sécurité (pas trop simple à deviner – n'oubliez pas qu'il permet d'acheter des applications et que votre compte iTunes est directement associé à votre carte bancaire) et facilité de saisie sur le clavier de l'iPhone. Une simple combinaison de lettres et de chiffres sera amplement suffisante.

Pour éventuellement changer de mot de passe, touchez **Réglages ▶ Store** puis touchez votre identifiant **Apple** et enfin **Afficher l'identifiant Apple**.

Saisissez le mot de passe actuel. Touchez **identifiant Apple** dans la section **Modifier.** Vous pouvez alors modifier le mot de passe.

# Bonus

# Des applications incontournables

**D**ans ce chapitre, vous découvrirez une sélection d'applications pratiques, intéressantes ou tout simplement indispensables pour compléter votre iPhone. Des célèbres Google Earth et Shazam aux très pratiques Remote ou AlloCiné, en passant par les efficaces iPhoto et Evernote, vous constaterez que l'App Store regorge de bonnes suprises pour vous permettre d'optimiser votre iPhone.

# Comprendre la manière dont les applications sont présentées dans ce chapitre

Vous découvrirez dans ce chapitre une sélection d'applications. Vous trouverez pour chaque application présentée un bloc d'informations, qui montre dans l'ordre :

- l'icône de l'application telle que vous la verrez dans l'App Store, puis sur l'écran d'accueil de votre iPhone une fois installée ;

- le code-barres correspondant à l'application, permettant de la retrouver rapidement sur l'App Store (voir plus haut) ;

- le prix de l'application (qui peut néanmoins changer à tout moment) ;

- l'éditeur de l'application ;

- la catégorie dans laquelle est classée l'application sur l'App Store.

Ces informations constituent la « carte d'identité » de l'application et devraient vous permettre de la trouver en un clin d'œil sur l'**App Store**.

Voici un exemple.

## Angry Birds

- 1,59 €
- ClickGamer Technologies
- Jeux

## WhatsApp Messenger

- 0,79 €
- WhatsApp Inc.
- Réseaux sociaux

**WhatsApp Messenger** est une application qui permet d'envoyer des messages du type SMS/MMS, gratuitement (et sans passer par le réseau téléphonique, mais par Internet).

C'est exactement ce qu'offre la fonction iMessage présentée au chapitre 6, pensez-vous ? Pas tout à fait, car iMessage ne concerne que les utilisateurs de machines Apple de dernière génération. **WhatsApp Messenger**, quant à elle, est beaucoup plus largement utilisée et couvre tous types d'appareils mobiles et smartphones : BlackBerry, téléphones et tablettes Android, *etc.*

Le fonctionnement de **WhatsApp Messenger** ressemble beaucoup à celui de **Messages**

en mode **iMessage** et l'application utilise votre liste de contacts : tout est donc très facile. Vous pouvez indiquer votre statut en touchant le bouton du même nom en bas d'écran.

**WhatsApp Messenger** permet aussi de partager des photos et vidéos gratuitement avec vos contacts (les MMS classiques sont parfois facturés à un coût non négligeable).

# Remote

■ Gratuit
■ Apple Inc.
■ Divertissement

L'application **Remote** permet de prendre le contrôle à distance (grâce à votre réseau Wi-Fi) du logiciel iTunes lancé sur votre ordinateur PC ou Mac.

Une fois votre iPhone reconnu par iTunes (il suffit de recopier une clé d'activation fournie par l'iPhone sur l'ordinateur), l'application donne accès aux différentes listes de lecture de votre bibliothèque distante.

**Remote** permet ainsi d'en manipuler les morceaux où que vous soyez chez vous, comme si vous le faisiez directement depuis votre ordinateur !

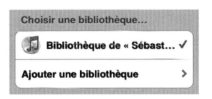

Les contrôles et l'affichage des morceaux sont semblables à ceux de la fonction iPod de votre iPhone. Ainsi, tout en visualisant les pochettes des albums correspondants, vous pourrez aisément lancer la lecture d'un morceau, marquer une pause, changer de liste de lecture, en composer une nouvelle, rechercher un artiste, un titre, un album, *etc*.

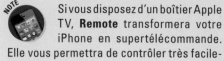

Si vous disposez d'un boîtier Apple TV, **Remote** transformera votre iPhone en supertélécommande. Elle vous permettra de contrôler très facilement vos films, musiques, photos, podcasts, *etc*.

# Google Earth

- Gratuit
- Google
- Voyages

**Google Earth**, le célèbre programme qui met « le monde dans le creux de votre main », dispose désormais d'une version spécialement conçue pour l'iPhone.

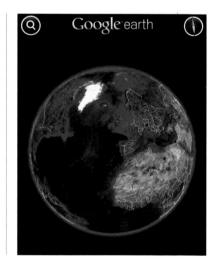

Comme avec le programme pour ordinateur, vous pouvez voyager aux quatre coins du monde et découvrir des images satellitaires et vues du ciel de la planète. De plus, l'application exploite les fonctionnalités de l'iPhone et permet de vous déplacer ou zoomer sur le globe en effleurant l'écran.

**Google Earth** est un programme captivant et son adaptation sur iPhone est particulièrement réussie... et gratuite. Un must.

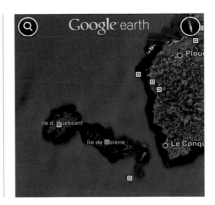

# PagesJaunes

- ■ Gratuit
- ■ PagesJaunes
- ■ Utilitaires

L'application officielle **PagesJaunes** pour iPhone est simple et efficace. Elle permet de rechercher des professionnels, exactement comme les Pages Jaunes sur Internet, et même mieux encore, grâce à la localisation, pour trouver des commerces et professionnels à proximité rapidement : restaurants, stations-service, taxis, fleuristes, *etc*.

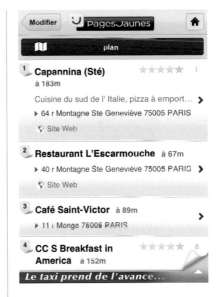

Vous pouvez ensuite afficher les commerces sur un plan centré sur votre emplacement actuel.

Cochez la case **Particuliers** pour trouver des coordonnées dans les **Pages Blanches**.

# SNCF Direct et Voyages-sncf.com

- Gratuit
- SNCF
- Voyages

- Gratuit
- Voyages-sncf.com
- Voyages

Voici deux applications complémentaires offrant plein de services pratiques à ceux qui prennent le train.

**SNCF Direct** est l'application officielle de la SNCF. Elle permet de consulter les horaires en temps réel des trains (grandes lignes et

Transiliens) au départ de nombreuses gares. Vous pouvez recevoir une alerte dès que l'horaire de votre train (ou son retard) est annoncé.

L'application offre toute une série de petits services pratiques : repérer les gares à proximité, afficher la liste des services disponibles dans une gare (commerces, parkings, guichets, *etc.*), voir le plan des environs de la gare.

**Voyages-sncf.com** permet quant à elle de réserver des billets de train sur l'iPhone. L'application a certes quelques défauts (il est impossible d'imprimer les billets depuis votre iPhone, par exemple), mais elle permet tout de même d'acheter rapidement un titre de transport, puis de payer par CB directement depuis l'application, *via* une transaction sécurisée. Il suffit ensuite de retirer les billets dans une gare.

Encore plus pratique, il est possible, comme sur le site Web **Voyage-sncf.com**, de poser une simple option, sans payer. Vous pouvez ainsi bloquer à tout moment un tarif avantageux depuis votre iPhone et confirmer l'achat par la suite.

# AllBikesNow

- Gratuit
- JCDecaux
- Style de vie

Ils s'appellent Velib, Vélo'v ici, Cy'clic par là, ou encore Bicloo ailleurs… Quel que soit leur nom, ils ont changé la manière de se déplacer en ville. Trouver un vélo disponible ou à l'opposé un emplacement libre pour le rendre est parfois un véritable casse-tête, même si les bornes sont nombreuses !

L'application **AllBikesNow** a exactement cette fonction, qui ravira tous les usagers des systèmes de vélos en libre-service développés par JC Decaux en Europe, d'Aix-en-Provence à Toulouse, en passant par Paris, Lyon, Mulhouse ou Marseille, sans oublier bien sûr Bruxelles ou Luxembourg.

En plus d'informer sur la localisation des stations à proximité d'une adresse et le nombre de vélos ou d'emplacements libres pour chacune, l'application permet de gérer votre compte et de choisir vos stations préférées.

# *Evernote et Skitch*

- Gratuit
- Evernote
- Productivité

- Gratuit
- Evernote
- Productivité

**Evernote** est une application de prise de notes pas comme les autres. Le principe est aussi simple qu'efficace : **Evernote** centralise vos « idées » et ce que vous souhaitez vous rappeler sous la forme de *notes*. Pour **Evernote**, une note n'est pas un simple document texte (comme les notes par défaut de l'iPhone), mais peut être une photo ou un enregistrement sonore.

La **note audio** rappelle la fonction dictaphone classique. La vraie bonne idée est la **note photo** : pour ne plus rien oublier, photographiez ! Des codes d'entrée d'un immeuble écrits sur un petit morceau de papier jusqu'à l'article de presse que vous aimeriez conserver, en passant par l'étiquette d'un vin inoubliable, les exemples sont nombreux ! Vous pourrez ensuite définir des favoris, filtrer ou trier vos notes et faire des recherches dans leur contenu.

En complément d'Evernote, téléchargez aussi l'application Skitch, permettant d'annoter et dessiner directement sur vos photos.

# *Shazam*

- Gratuit
- Shazam Entertainment Ltd.
- Musique

**Shazam** fait partie des applications les plus fascinantes disponibles sur l'App Store. Le principe est simple : vous entendez un morceau de musique ou une chanson et souhaitez retrouver son titre et son interprète ? Faites écouter le son à votre iPhone, et **Shazam** l'identifiera en quelques secondes.

Après le lancement de l'application, touchez **Tag**, orientez l'iPhone vers la source sonore autant que possible, et patientez. Laissez **Shazam** écouter la musique à volume suffisant et sans trop de bruits parasites, pendant une petite dizaine de secondes au moins…

Une fois le morceau identifié, des informations détaillées s'affichent : nom du morceau, de l'interprète, de l'album, et parfois aussi des critiques et la biographie de l'artiste.

Dans **Shazam**, les morceaux identifiés sont appelés *tags* et restent stockés en mémoire dans votre iPhone. En plus de pouvoir acheter les morceaux *tagués*, vous pouvez aussi les organiser et les partager avec vos amis. Vous pouvez même associer une photo à un tag.

 **NOTE** La version gratuite de **Shazam** est désormais restreinte à 5 tags par mois… c'est peu ! Si vous utilisez Shazam de manière intensive, optez pour la version payante et illimitée : **Shazam Encore**.

# iMovie

- 3,99 €
- Apple Inc.
- Photographie

**iMovie** est l'application officielle d'Apple pour réaliser des montages de vidéos prises avec l'iPhone. Les utilisateurs de Mac auront reconnu le nom du célèbre logiciel de montage pour ordinateur. Il s'agit ici d'une version spécialement conçue pour l'iPhone, avec une interface et des fonctionnalités adaptées (et beaucoup plus simples, évidemment).

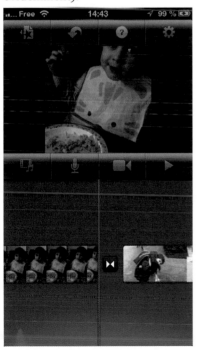

**iMovie** permet des effets vidéo sympathiques, avec des thèmes variés, mais c'est surtout pour sa capacité à créer une seule vidéo à partir de plusieurs, avec des effets de transition, qu'elle vaut le détour. Vous pouvez ensuite exporter la séquence et la partager par courrier électronique.

# iPhoto

- 3,99 €
- Apple Inc.
- Photographie

**iPhoto** est une application proposée par Apple pour compléter, voire remplacer l'application de base **Photos**. Elle offre des outils plus puissants pour parcourir, partager et retoucher les photos de votre bibliothèque.

Vous pourrez en particulier effectuer des recherches avancées parmi vos photos, les optimiser grâce à des effets et pinceaux spéciaux, ou encore les publier aisément sur **Facebook**, **Flickr** et **Twitter**. Grâce à **iCloud**, il est possible de transférer vos photos entre vos iPhone et iPad, mais aussi de diffuser des diaporamas sur votre Apple TV avec **AirPlay**.

Enfin, grâce au **Journal photo**, l'application permet de partager vos histoires en photos, dans des mises en pages sophistiquées.

# OldBooth

- 1,59 €
- GetApp
- Divertissement

Avec **OldBooth**, vous pouvez créer des portraits désopilants d'une autre époque à partir d'une photo de votre choix... Une application extrêmement amusante qui permet, à sa façon, de voyager dans le temps ! Le résultat, plus vrai que nature, est souvent la source de nombreux fous rires.

L'application est très simple à utiliser : lancez-la, puis touchez **Create photo**. Choisissez ensuite un style, féminin ou masculin. Les différents effets sont présentés dans des onglets. Dans **Base** se trouvent les styles essentiels. **Special** est en effet... spécial (à vous de le découvrir !) et **20s pack** propose d'acheter de nouveaux masques. Touchez la vignette d'un style.

Ensuite, c'est à vous de jouer ! Touchez **Take photo** si votre modèle d'un jour est devant vous, ou **Photo Albums** pour piocher dans votre bibliothèque. Si vous avez déjà créé un portrait, vous pouvez aussi réutiliser la dernière photo : touchez **Use Last**.

Ne vous inquiétez pas si la photo semble trop grande ou mal orientée : vous pourrez ensuite faire pivoter le visage pour l'adapter au masque. Utilisez pour cela le cercle gris : faites glisser pour faire pivoter le visage, pincez l'écran pour ajuster sa taille.

Vous pouvez ensuite ajuster la luminosité à l'aide du curseur **Brightness/contrast** pour que le visage se fonde parfaitement dans le reste de l'image.

Touchez **Done**, puis **Save** et la photo est sauvegardée dans votre bibliothèque ! Touchez **Share** pour partager la photo ou **New** pour commencer une autre création.

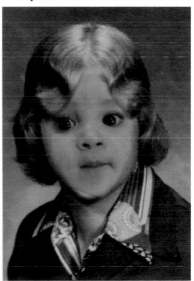

# lo-mob

- 1,59 €
- aestesis
- Photographie

**lo-mob** va réconcilier les fans de l'iPhone et les amoureux de la photographie traditionnelle !

Cette application permet en effet d'appliquer des dizaines d'effets rétro à vos photos : imitation du style Polaroid ou diapo, 35 mm, effets d'objectif, textures, cadres, *etc.*

Très simple d'utilisation, **lo-mob** a l'élégance d'afficher des vignettes des effets utilisant votre propre photo dès le départ.

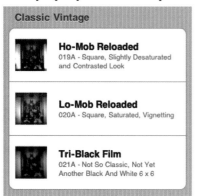

En quelques manipulations, et sans aucune connaissance technique, vous vous retrouverez dans la peau d'un photographe « à l'ancienne » et pourrez créer des œuvres époustouflantes.

L'un des atouts supplémentaires de **lo-mob** est sa facette « réseau social ». Vous pouvez en effet partager vos créations directement depuis l'application, en quelques secondes, sur Twitter, Facebook ou Picasa, ou encore par courriel.

# AlloCiné

- Gratuit
- AlloCiné
- Divertissement

L'application **AlloCiné** reprend une partie du contenu du site francophone de référence sur le cinéma : fiches consacrées aux films ou aux stars, *news*, bandes-annonces et émissions AlloCiné.

L'application permet de trouver les salles de cinéma les plus proches et d'afficher les horaires des prochaines séances, *etc.* Comme sur le site Web, vous pourrez accéder à votre espace personnel : films et salles préférées, entre autres.

# La Fourchette

- Gratuit
- La Fourchette
- Style de vie

**La Fourchette** permet de réserver une table facilement et rapidement dans plusieurs milliers de restaurants en Europe. L'application permet de localiser les restaurants à proximité du lieu où vous vous trouvez ou de rechercher par adresses. Chaque fiche propose les coordonnées du restaurant, sa position et l'itinéraire pour vous y rendre, ainsi que les horaires d'ouverture, les services offerts et des idées de menus.

Les véritables « plus » de cette application : non seulement il est possible de réserver en quelques clics sur votre iPhone, sans qu'il soit nécessaire d'indiquer un numéro de carte bancaire en garantie (vous obtiendrez une confirmation immédiate par SMS), mais surtout, cette application est le pendant officiel du célèbre site de réservation de restaurants LaFourchette.com. Ce site est connu pour proposer des promotions exceptionnelles et très intéressantes pour de nombreux restaurants, allant jusqu'à une réduction de 50 % sur l'addition. En réservant depuis l'application La Fourchette, vous pouvez aussi bénéficier des offres du moment, tout en tirant parti des fonctions de localisation de l'iPhone.

# La Chaîne Météo

- Gratuit
- MÉTÉO CONSULT
- Météo

L'application **Météo** fournie avec l'iPhone est simple et donne des prévisions peu précises. En complément ou en remplacement, vous pouvez installer l'application **La Chaîne Météo**. Elle donne accès à 12 jours de prévisions météo, en France. Les données proviennent de Météo Consult et sont contrôlées par des météorologues expérimentés.

L'application affiche une carte de France détaillée avec les conditions météo actuelles et les prévisions pour la soirée et la nuit. Comme dans l'application **Météo**, vous pouvez choisir vos villes préférées et obtenir des prévisions et informations météorologiques détaillées. Pour cela, cliquez sur **Mes villes**, puis sur le signe + en haut à droite de l'écran. Recherchez la ville de votre choix et cliquez sur le + à droite de son nom.

# eBay Mobile

- Gratuit
- eBay Inc.
- Style de vie

**eBay Mobile** est l'application officielle d'eBay, le célèbre site d'enchères, conçue spécifiquement pour l'iPhone. Son interface simplifiée et fonctionnelle permet de réaliser toutes les opérations importantes lorsqu'on suit ou vend un objet sur eBay.

L'application est très pratique : vous pouvez enchérir sur un objet et voir l'évolution de vos ventes, même si vous n'êtes pas devant votre ordinateur et à tout moment ! Vous pouvez aussi consulter vos messages et effectuer des recherches d'objets.

# RATP

- Gratuit
- faberNovel
- Voyages

Il existe plusieurs applications dédiées au métro parisien sur l'**App Store**. L'application officielle de la **RATP** (devenue gratuite quelques mois après sa sortie) est sans conteste la meilleure.

L'application **RATP** donne en effet accès à des outils très précieux lorsqu'on se déplace en transports en commun à Paris : recherche d'itinéraires, infos trafic et horaires des prochains passages à un arrêt de votre choix !

# NAVIGON et TomTom

- 69,99 €
- NAVIGON AG
- Navigation

- 59,99 €
- TomTom International BV
- Navigation

Longtemps attendues, les applications de navigation GPS pour iPhone se livrent une concurrence impitoyable sur l'**App Store** !

**NAVIGON France** est un très bon choix. L'application transforme votre iPhone en véritable copilote et offre une interface intuitive, avec des annonces vocales, un affichage réaliste des échangeurs, des sorties d'autoroute, des panneaux de signalisation, *etc.* Bien adaptée à l'autoroute comme à la ville, **NAVIGON** offre un excellent positionnement sur les voies et indique clairement les sorties. Cette application tire aussi son épingle du jeu pour des raisons d'ergonomie et d'esthétique.

**TomTom** est quant à elle l'application iPhone créée par le célèbre fabricant de systèmes de navigation GPS mobiles du même nom. Mention spéciale en ce qui concerne les itinéraires urbains, qu'elle calcule plus précisément.

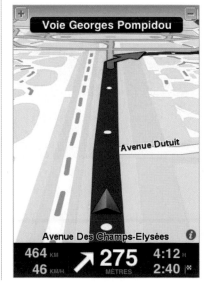

# Index